SUPPLÉMENT
AU VOYAGE
DE BOUGAINVILLE
ET AUTRES TEXTES

DIDEROT

SUPPLÉMENT AU VOYAGE DE BOUGAINVILLE

précédé de
PENSÉES PHILOSOPHIQUES
ADDITION AUX PENSÉES PHILOSOPHIQUES

LETTRE SUR LES AVEUGLES
ADDITIONS À LA LETTRE SUR LES AVEUGLES

Présentation et chronologie par Antoine ADAM
Bibliographie mise à jour en 2013 par Cécile ALVAREZ

GF Flammarion

ISBN : 978-2-0812-9715-9

CHRONOLOGIE

1713 : Le 5 octobre, naissance à Langres de Denis Diderot, fils de Didier Diderot et d'Angélique Vigneron.

1726 : Le 22 août, Diderot reçoit la tonsure des mains de l'évêque de Langres.

1728 : Diderot poursuit ses études au collège d'Harcourt à Paris.

1732 : Le 2 septembre, Diderot devient maître ès arts de l'Université de Paris.

1733-1735 : Diderot travaille dans l'étude du procureur Clément de Ris.

1736-1740 : Diderot vit d'expédients. Il donne des leçons de mathématiques sans les savoir, fait des sermons pour des prédicateurs sans éloquence, est trois mois précepteur dans une famille.

1741 : Diderot fait la connaissance d'Antoinette Champion. Pourtant, il manifeste en septembre l'intention d'entrer à Saint-Sulpice le 1er janvier suivant.

1742 : Diderot, qui n'est pas entré au séminaire, travaille à la traduction de l'*Histoire de Grèce* de Temple Stanyan. Vers le mois d'août, il rencontre Rousseau. En décembre, il fait le voyage de Langres.

1743 : En janvier, à Langres, il annonce à sa famille son projet d'épouser Antoinette Champion. Orage. Sa famille le fait interner dans un monastère près de Troyes. Il s'évade, se réfugie à Paris. Misère. Le 26 octobre, il signe son contrat de mariage avec Antoinette Champion. Le mariage, à peu près clandestin, a lieu le 6 novembre. La famille sera six ans avant de l'apprendre.

1744 : Le 23 avril, Diderot signe un contrat pour la traduction du *Dictionnaire universel de médecine et de chirurgie* de Robert James.

1745 : Diderot publie sous la rubrique d'Amsterdam une traduction libre de l'*Essai sur le mérite et la vertu* de Shaftesbury. Il se lie avec Mme de Puisieux, femme de lettres.

1746 : Le 21 janvier, un privilège est accordé pour une *Encyclopédie ou Dictionnaire universel des arts et des sciences*, traduit des dictionnaires anglais de Chambers et Harris, avec des additions. En avril, Diderot rédige, ou met au net, en trois jours, les *Pensées philosophiques*. En juin, les *Pensées philosophiques* commencent à circuler. Le 7 juillet, le parlement de Paris condamne les *Pensées philosophiques* à la « brûlure ».

1747 : 20 juin. Sur dénonciation du curé de Saint-Médard, le lieutenant de la prévôté générale Perrault signale Diderot à Berryer, lieutenant général de police. Le 22 juin, le curé de Saint-Médard renouvelle sa dénonciation directement à Berryer. Diderot écrit la *Promenade du sceptique*. Le 16 octobre, les libraires associés confient la direction de l'*Encyclopédie* à Diderot et d'Alembert. Vers la fin de l'année, Diderot écrit les *Bijoux indiscrets*.

1748 : En janvier, Diderot publie les *Bijoux indiscrets*. En juin, il publie des *Mémoires sur différents sujets de mathématiques*.

1749 : Début de juin. Diderot publie la *Lettre sur les aveugles à l'usage de ceux qui voient*. Le 22 juillet, le comte d'Argenson donne l'ordre d'arrêter Diderot. Le 24 juillet, le commissaire Rochebrune perquisitionne chez Diderot. Il est conduit à Vincennes. Il en sort le 3 novembre.

1750 : Diderot travaille à l'*Encyclopédie*.

1751 : En février, Diderot publie la *Lettre sur les sourds et muets*. En juin, le tome I de l'*Encyclopédie* paraît. Le 18 novembre, l'abbé de Prades, collaborateur de l'*Encyclopédie*, soutient en Sorbonne une thèse qui scandalise le parti religieux. La Sorbonne condamne cette thèse le 31 décembre.

1752 : En janvier, le tome II de l'*Encyclopédie* paraît. Le 7 février, un arrêt du Conseil supprime les deux premiers tomes de l'*Encyclopédie*. En juillet, l'*Apologie de l'abbé de Prades* paraît. La IIIe partie est l'œuvre de Diderot.

1753 : Le 2 septembre, naissance de Marie-*Angélique* Diderot, fille de l'écrivain. En novembre, le tome III de l'*Encyclopédie* paraît. Les *Pensées sur l'interprétation de la nature* commencent à circuler.

1754 : En octobre, le tome IV de l'*Encyclopédie* paraît.

1755 : En juillet, début de la correspondance avec Sophie Volland. (Mais les lettres jusqu'en mai 1759 sont perdues.) En octobre, le tome V de l'*Encyclopédie* paraît. Le 26 octobre, Palissot fait jouer à Nancy *les Originaux*, qu'il intitulera ensuite *le Cercle*, et qui est une première attaque contre les philosophes.

1756 : Le 12 avril, Diderot et Rousseau se rencontrent à l'Ermitage. — En mai, le tome VI de l'*Encyclopédie* paraît.

1757 : En février, *le Fils naturel ou les Epreuves de la vertu* paraît sous la rubrique d'Amsterdam. (La pièce ne sera jouée qu'en 1771.) Entre mars et novembre, les désaccords entre Diderot et Rousseau se développent, qui aboutiront à une rupture définitive. En novembre, le tome VII de *l'Encyclopédie* paraît. — J. N. Moreau publie un *Nouveau Mémoire pour servir à l'histoire des Cacouacs*, et Palissot donne ses *Petites Lettres sur de grands philosophes*.

1758 : En janvier, Diderot travaille au *Père de famille*. — En septembre, *le Père de famille*, sur le point de paraître, subit des tracasseries. Il paraît enfin en novembre. La pièce sera jouée à Marseille en novembre 1760, et à Paris en février 1761. En novembre 1758, Abraham Chaumeix publie ses *Préjugés légitimes contre l'Encyclopédie*.

1759 : Le 23 janvier, le Parlement condamne l'*Encyclopédie*. Le 8 mars, un arrêt du Conseil révoque le privilège de l'*Encyclopédie*. Le 3 juin, mort du père de Diderot. Du 2 au 15 septembre, puis en octobre, séjours au Grandval, chez les d'Holbach. Diderot écrit son premier *Salon*.

1760 : Le 2 mai, la Comédie-Française joue *les Philosophes* de Palissot. En septembre, Diderot projette de faire jouer *le Père de famille*. Séjour à la Chevrette.

Il travaille à *la Religieuse*. En octobre il fait un séjour au Grandval. En novembre, il est à Paris et travaille à *la Religieuse*.

1761 : Le 18 février, la Comédie-Française joue *le Père de famille*. En septembre, Diderot rédige son deuxième *Salon*.

1762 : Le 20 août, le comte Schouvaloff écrit à Diderot, de la part de Catherine II, et lui propose de faire imprimer l'*Encyclopédie* en Russie. L'impératrice offre de subvenir aux frais de l'impression. Diderot décline cette proposition.

1763 : En août, Diderot écrit *Lettre historique et politique sur le commerce de la librairie*. En septembre, il écrit son troisième *Salon*.

1764 : En novembre, Diderot a un violent conflit avec Le Breton, qui de son chef a mutilé les articles de l'*Encyclopédie*.

1765 : Le 26 mars, Catherine II achète la bibliothèque de Diderot, et lui en laisse la disposition. En août, les dix derniers volumes de l'*Encyclopédie* (tomes VIII à XVII) sont au point. Diderot rédige un *Avertissement servant de préface*. — En septembre, il rédige son quatrième *Salon*. En décembre, l'impression de l'*Encyclopédie* est terminée. Les volumes sont mis en vente en janvier 1766.

1766 : En avril, les six derniers volumes de l'*Encyclopédie* ne peuvent toujours pas être vendus dans la région parisienne.

1767 : Diderot est élu à l'unanimité membre de l'Académie des arts de Saint-Pétersbourg. En septembre, il rédige, mais n'achève pas son cinquième *Salon*.

1768 : En novembre, Diderot achève son cinquième *Salon*.

1769 : En mai, Grimm étant parti pour l'Allemagne, Diderot assure la rédaction de la *Correspondance littéraire* jusqu'au retour de son ami. Le 2 septembre, Diderot achève la rédaction du *Rêve de d'Alembert*. Il entreprend le sixième *Salon*.

1770 : En août, Diderot fait le voyage de Bourbonne. Au cours de ce voyage, il passe par Langres et rend visite à son frère.

1771 : Grimm fait paraître dans la *Correspondance littéraire* l'*Entretien d'un père avec ses enfants*. Le 12 septembre, Diderot termine une première rédaction de *Jacques le Fataliste*. — A la fin de septembre, il rédige le septième *Salon*. Au cours de l'année, le navigateur Bougainville fait paraître son *Voyage* autour du monde. A la fin de l'année, Diderot écrit un article sur cet ouvrage pour la *Correspondance* de Grimm.

1772 : Le 9 septembre, Angélique Diderot épouse Caroillon de Vandeul. Le 23 septembre, Diderot achève *Ceci n'est pas un conte* et *Madame de la Carlière*. Le 7 octobre, il écrit un premier état du *Supplément au Voyage de Bougainville*.

1773 : Le 3 juin, Diderot se dispose à partir pour La Haye. Le 15 juin, il arrive à La Haye. Il y séjourne deux mois. Il est logé à l'ambassade de Russie. Il rédige des notes pour le *Voyage de Hollande*. Le 20 août, départ pour l'Allemagne et la Russie. Par Leipzig, Dresde et Riga, il atteint Saint-Pétersbourg le 8 octobre.

1774 : Le 5 mars, il prend le chemin du retour. Le 5 avril il est en Hollande. Il y séjourne jusqu'au 15 septembre. Il travaille à la *Réfutation d'Helvétius*, rédige les *Entretiens avec la maréchale*. Il est à Paris en octobre.

1775 : Diderot consacre l'hiver à l'étude des mathématiques et à un projet de machine à calculer. — En septembre, il rédige son huitième *Salon*. D'avril à octobre, il séjourne à Sèvres chez un ami. Il passe le mois de novembre au Grandval.

1777 : De janvier à avril, Diderot est à Sèvres et travaille à l'*Histoire des deux Indes* de l'abbé Raynal. En avril, il envisage une édition collective de ses *Œuvres*.

1778 : Diderot passe trois jours par semaine à Sèvres. En décembre, il publie l'*Essai sur la vie de Sénèque le philosophe* (sous la date de 1779).

1779 : Diderot, en mai, travaille à l'*Histoire des deux Indes*.

1780 : En août, séjour au Grandval.

1781 : En juillet, Diderot lit *Jacques le Fataliste* à sa femme. En septembre, il rédige son neuvième *Salon*.

1782 : Diderot publie une édition profondément rema-
niée de l'*Essai* de 1778.

1784 : En février, Diderot est frappé d'apoplexie. Il se
remet lentement. 22 février, mort de Sophie Volland.
15 juillet, Diderot vient loger rue Richelieu. Il meurt
le 31 juillet.

INTRODUCTION

Si pour être philosophe il fallait développer logiquement, froidement, ennuyeusement, une explication systématique de l'univers, Diderot ne serait pas philosophe. Mais les problèmes que la vie pose à tout esprit réfléchi, il les vivait avec intensité, il ne cessait de confronter les thèses contraires, en relevait les aspects séduisants aussi bien que les conclusions contestables. L'histoire de sa pensée, c'est l'histoire de ces confrontations continues. Les œuvres que reproduit le présent volume nous permettent d'en saisir trois moments d'un extraordinaire intérêt.

LES PENSÉES PHILOSOPHIQUES

Au moment où il écrivait les *Pensées philosophiques*, il venait de donner au public, l'année précédente, une traduction de l'*Essai sur le mérite et la vertu* de Shaftesbury. Il était rempli de l'œuvre entière du plus grand des déistes anglais. Il en avait assimilé la pensée sous son double aspect. D'une part, une volonté très sincère et sérieuse de s'opposer à l'athéisme, d'affirmer que le monde possède une signification, qu'il révèle un ordre rationnel, qu'il manifeste la sagesse d'un Dieu. Mais d'autre part aussi, non moins sérieux et sincère, un mépris profond à l'endroit des croyances populaires, enveloppées toutes dans le terme injurieux de « superstition ».

Lorsque nous avons dans l'esprit les thèses du déisme contemporain, nous comprenons la parfaite cohérence des *Pensées philosophiques*. Contre la notion que les superstitieux se font de Dieu, Diderot dirige une critique qui se trouvait déjà cent cinquante ans plus tôt dans les *Quatrains du déiste*. S'il dit que la superstition est plus injurieuse à Dieu que l'athéisme, il se borne à répéter ce que Bacon avait dit et, après lui, La Mothe Le Vayer. Solidement appuyée sur la tradition déiste, la pensée de Diderot est ferme, sans ambiguïté, et nous aurions grand tort d'y soupçonner de secrètes réticences.

Diderot était même persuadé que la nouvelle physique avait apporté au déisme, contre les athées, des confirmations décisives. Il avait le droit de le penser. Le système de Newton, en proposant une explication totale de l'univers, en révélant la loi unique à laquelle obéit la nature, avait justifié le déisme. Il faisait apparaître, au sommet des choses, la Raison infinie. Toute une littérature était sortie de là. Diderot la connaissait. Il cite les Musschenbroek, les Hartsoeker, les Nieuwentyt. C'est grâce à ces grands hommes, écrit-il, que le monde apparaît comme le reflet de la Sagesse éternelle. Il la révèle et la démontre. Et parce que la pensée de Newton domine le siècle, Diderot est en droit d'affirmer que « la dangereuse hypothèse » de l'athéisme recule.

L'attitude même qu'il adopte en face de la religion officielle et qui déroute apparemment certains commentateurs, se révèle très cohérente lorsqu'on se souvient des positions du déisme. Quand il écrit : *Je suis chrétien*, il a le droit de le faire. Tout déiste l'aurait dit comme lui. Car les déistes ne prétendaient pas que toutes les religions positives fussent fausses. Elles étaient, à leurs yeux, toutes vraies, à condition d'être interprétées comme des formes de la religion universelle. Ils acceptaient donc la religion de leur pays, ils faisaient profession d'obéir à ses lois, ils voulaient mourir dans son sein. Mais ce christianisme n'était pas celui des superstitieux. Il était raisonnable. Ils y adhéraient dans la mesure où il était conforme à l'éternelle Raison, et c'est en ce sens qu'ils y croyaient.

Dans la religion telle qu'ils la comprenaient, il n'y avait aucune place pour la « superstition ». Les *Pensées philosophiques* nous offrent une image frappante des refus du déisme en face des croyances communes. Diderot ne veut pas que l'adoration de Dieu s'enferme dans les temples. Il voit dans les miracles récents du jansénisme un exemple caractéristique des vieilles folies. Après Shaftesbury qui avait condamné les manifestations de « l'enthousiasme », il s'en prend aux diverses formes du

fanatisme. Il va plus loin. Il connaît la littérature clandestine et tant d'ouvrages qui circulent manuscrits, où
des écrivains très souvent déistes dénonçaient les incer-
titudes du Canon biblique, la fausseté des légendes
sacrées, l'insuffisance des preuves historiques sur lesquelles se fonde l'apologétique traditionnelle. Ne
concluons pas de là que Diderot est un impie, un athée
qui se cache. Sa critique se retrouve exactement chez
des auteurs dont le déisme est affiché et certain, celui
du *Militaire philosophe* par exemple.

C'est également dans l'ensemble de la littérature
déiste que nous devons situer, pour les bien interpréter,
les pensées où Diderot exalte la légitimité, la nécessité
des passions, demande qu'elles soient fortes et énergiques. Et sans doute est-il vrai qu'il y avait là, de sa
part, l'expression d'une vérité très vivement sentie.
Mais ce serait réduire la portée de ces maximes que d'y
voir seulement une préoccupation toute personnelle de
l'écrivain. Depuis la fin du siècle précédent, les déistes
français et anglais affirmaient que Dieu a déposé en nous
l'aspiration vers le plaisir, et par conséquent les passions;
qu'elles sont nécessaires et fécondes; qu'elles sont proprement la vie de l'âme; que les grands hommes sont
animés par des passions vives et ne diffèrent des criminels que parce que ces passions, chez eux, portent par
bonheur à des actions utiles à la société. Cette philosophie des passions légitimes et fortes, Diderot avait pu la
trouver chez Shaftesbury. Mais elle s'affirmait tout aussi
bien chez les déistes français, chez Lévesque de Pouilly
comme chez Rémond le Grec et Rémond de Saint-Mard.

Des ouvrages tels que les *Pensées philosophiques* restaient, à cette époque, le plus souvent manuscrits. Ils
étaient copiés dans des officines clandestines et se ven-
daient sous le manteau. Une raison pourtant décida
Diderot à faire imprimer ses *Pensées*. Son amie Mme de
Puisieux lui demandait de l'argent. Il lui fallait cinquante louis. Les *Pensées philosophiques* les lui fournirent.
Le geste était imprudent. Le 7 juillet 1746, le parlement
de Paris condamna l'ouvrage à être brûlé par la main
du bourreau, en même temps que l'*Histoire naturelle de
l'âme* de La Mettrie. Il donnait pour raison que les
Pensées philosophiques mettaient « toutes les religions
presque au même rang, pour finir par n'en reconnaître
aucune ». Il invitait les magistrats à poursuivre les auteurs
et à leur faire subir un châtiment exemplaire.

L'Addition aux Pensées philosophiques

Aux *Pensées philosophiques* de 1746, le présent volume a joint une *Addition aux Pensées philosophiques* qu'il est d'usage de leur associer. En fait, cette *Addition* fut écrite par Diderot en 1762. La distance des dates suffit à faire comprendre pourquoi les nouvelles *Pensées* diffèrent assez sensiblement des premières.

Une heureuse découverte, publiée en 1938, a révélé leur origine et jeté une lumière inattendue sur leur genèse. Diderot avait lu un manuscrit de la littérature clandestine intitulé *Objections diverses contre les récits de divers théologiens*. Il a été retrouvé. C'était l'œuvre d'un certain J. L. P. Elle était de médiocre étendue, cent sept pages exactement. Diderot pensa que ce traité, s'il était écrit avec un peu plus de chaleur, élagué de certaines parties plus faibles, « serait une assez bonne chose ». Il décida de faire ce travail. Il en parlait à Sophie Volland en novembre 1762. La comparaison de son texte avec les *Objections* prouve que quarante articles de l'*Addition* s'inspirent, à un degré variable, du traité du mystérieux J. L. P., et que quinze seulement sont des pensées personnelles de Diderot.

Nous serions tentés de chercher dans l'*Addition* les preuves d'une évolution de la philosophie de Diderot. En 1762, il y a bien des années déjà qu'il a renoncé à sa foi dans l'Être suprême des déistes. Mais bien plutôt qu'une métaphysique nouvelle, c'est un ton nouveau que nous observons dans l'*Addition*. En 1746, la polémique contre la superstition s'appliquait avant tout à rappeler les hautes exigences de la raison. En 1762, c'est l'absurdité des dogmes qui est dénoncée, tantôt avec une vive impertinence, tantôt avec un écrasant mépris. Il suffira de rappeler que cette année-là Voltaire publie le *Sermon des Cinquante*, et le baron d'Holbach fait imprimer *le Christianisme dévoilé*. Les religions positives ne sont plus considérées comme des formes historiques de la religion naturelle. Elles sont traitées comme des entassements de sottises absurdes. Diderot adopte le même ton.

Il relève avec une irrévérence qui ne lui est pas habituelle les croyances qui heurtent trop violemment le bon sens. Il s'étonne devant le Dieu de la *Genèse* qui nous est donné pour un père, mais qui fait plus grand cas de ses pommes que de ses enfants. Ou encore il rappelle la phrase de La Hontan sur ce Dieu qui fait mourir Dieu pour apaiser Dieu. La Rédemption n'est plus discutée : elle est tournée en ridicule. C'est dans le même esprit que Diderot évoque le *Pater major me est* de l'Évangile, le dogme des peines éternelles voulues par un Dieu infiniment bon, la Trinité et ses contradictions, Jésus tenté par le diable, la virginité de la Mère de Dieu.

Si Diderot, en écrivant l'*Addition*, avait dans l'esprit la grande polémique antireligieuse qui commençait alors à se développer, n'en concluons pas qu'il ait alors décidé de s'y associer en publiant son travail. Il ne communiqua sans doute ses nouvelles *Pensées* qu'à un petit nombre d'amis. L'un d'eux était Naigeon. Celui-ci mit, en 1770, dans un *Recueil philosophique*, des *Pensées* sur la religion qui reproduisaient le texte de l'*Addition*. Il les donna à nouveau, en 1792, sous un nouveau titre, dans son *Encyclopédie méthodique*. C'est ainsi que le public eut connaissance de l'*Addition* et du nom de son auteur, car cette fois Naigeon eut soin de révéler que ces pensées étaient l'œuvre de Diderot, qu'il en avait, lui Naigeon, tenu dans les mains le manuscrit autographe, et qu'il le reproduisait dans son intégrité.

LA LETTRE SUR LES AVEUGLES

Il nous faut maintenant revenir en arrière, au lendemain de la publication des *Pensées philosophiques*. Diderot continue de s'occuper de philosophie, et rédige en 1747 la *Promenade du sceptique*. Mais de plus en plus son attention se porte sur les problèmes de la science. Il donne en 1748 des *Mémoires sur différents sujets de mathématiques*, et une lettre *Sur les troubles de la médecine et de la chirurgie*. Il s'engage en même temps dans la grande entreprise de l'*Encyclopédie*.

À cette époque, l'opinion s'intéressait vivement à l'opération de la cataracte. Quand un médecin la tentait, un public choisi était invité à y assister. Diderot était assidu à ces expériences. Il fut présent à l'opération d'un aveugle-né qui fut exécutée sous la direction de Réaumur et qui fut discutée. La *Lettre sur les aveugles* est sortie de cette curiosité et de ces discussions. Elle parut au début de juin 1749.

Si le monde intellectuel portait à ces opérations un si grand intérêt, c'était moins pour leur aspect proprement médical que pour les clartés qu'on en attendait sur un problème d'ordre général. Il avait été posé par Locke dans son *Essai sur l'entendement humain*. Il s'agissait de savoir si un aveugle-né, recouvrant subitement la vue, distinguerait sans tarder un cube et un globe. Toute la théorie des sensations paraissait dépendre de la réponse qui serait faite à cette question. Locke, d'accord avec Molyneux, avait répondu que non. L'oculiste Cheselden, décrivant une opération faite sur un aveugle-né, avait décidé dans le même sens. Condillac, en 1746, avait soutenu l'opinion contraire. On parlait beaucoup, et avec admiration, d'un aveugle-né, l'Anglais Nicolas Saunderson, qui était devenu, en dépit de son infirmité, professeur de mathématiques à Cambridge, avait acquis une réputation européenne et avait publié plusieurs ouvrages, notamment des *Eléments d'algèbre*.

Il ne serait pas tout à fait exact de dire qu'en écrivant la *Lettre sur les aveugles*, Diderot intervient dans cette discussion. On se rend compte, à le lire, qu'il n'a pas une foi complète dans les expériences alors à la mode, ni dans celle de Molyneux ni dans celles de Cheselden. On devine qu'à ses yeux les partisans des deux opinions ont négligé certaines données essentielles, que seul La Mettrie avait rappelées : qu'il existe sans aucun doute une coopération spontanée de nos sens, que la vue et le toucher peuvent fort bien combiner leur action ; et que d'autre part chacun de nos sens n'a pas une efficacité définie et limitée une fois pour toutes, et qu'il se perfectionne par l'expérience. Il semble évident que Diderot, au fond de lui-même, juge que toute cette discussion pèche par un excès de schématisme dans les formes du raisonnement.

Il ne se mêle donc pas vraiment à la discussion. Mais elle lui inspire des réflexions qu'il développe avec une grande liberté d'allures. A certains moments, elle ne lui sert guère que de prétexte.

On le sent préoccupé par le rôle que jouent nos sens dans la formation de nos idées morales. Question grave en effet, et qui n'a pas perdu toute signification aujourd'hui. Mais question particulièrement pressante à l'époque de Diderot. La grande majorité de ses contemporains sont persuadés que la loi morale constitue en nous une évidence spirituelle, qu'elle nous est révélée par la conscience, et que celle-ci, indépendante du corps, parle le même langage à tous les hommes de tous les siècles et de tous les climats. Les déistes sont, sur ce point, d'accord avec les théologiens catholiques aussi bien que protestants.

Les propos de l'aveugle-né du Puiseaux permettent à Diderot d'affirmer que cette conception de la loi morale est chimérique. Les jugements moraux de cet aveugle ne s'accordent pas avec les nôtres. Il ne porte pas sur les vertus et les vices les mêmes jugements que nous. C'est ainsi qu'il ne fait pas grand cas de la pudeur. Il n'éprouve pas non plus pour les souffrances de ses semblables la pitié qui est habituelle chez l'homme normal, puisqu'il ne voit pas sur leur visage les marques émouvantes de leur douleur. La conclusion s'impose : nos idées morales dépendent décidément de nos sens.

En cessant de croire au caractère spirituel de la loi morale, Diderot s'écartait visiblement du déisme. En fait, sa rupture avec ses premières convictions était beaucoup plus radicale et systématique qu'on ne l'aurait cru d'abord, et le problème des aveugles-nés lui fournit l'occasion de développer avec force ses nouvelles convictions. Il imagine le discours que le sage et savant Saunderson aurait tenu sur son lit de mort, devant le Révérend Holmes qui venait lui rappeler les hautes vérités de la religion naturelle.

Discours émouvant et dramatique. Saunderson a vécu dans le culte des grands déistes, de Newton, de Leibniz et de Clarke. Mais voici qu'avant de mourir il avoue que ses convictions ne s'accordent plus avec les leurs. Il ne croit plus que le monde soit une admirable machine, œuvre et révélation d'une Sagesse infinie. Même si l'on peut admettre que la nature présente aujourd'hui l'apparence d'un ordre, elle s'est développée en partant d'un chaos primitif. Elle l'a fait par des tâtonnements infinis. Il y eut des mondes estropiés qui retombèrent dans le néant, des espèces d'animaux qui ne pouvaient pas vivre et qui, inaptes à durer, ont disparu.

Ce n'est pas un Dieu, ce n'est pas une Raison infinie qui explique le monde. C'est une force obscure et aveugle, et si la nature nous paraît réaliser un ordre, c'est parce que, dans l'infini de la durée, les combinaisons viables doivent toujours réussir à se former, et que les autres disparaissent. Mais de toute façon, rien n'est stable et définitif. Aveugle, et du même coup échappant à l'opti-

misme banal de ceux qui voient, Saunderson discerne
dans le monde une tendance continuelle vers la destruction. La nature est une succession de formes éphémères
qui se poussent et bientôt disparaissent.

Depuis les *Pensées philosophiques*, Diderot avait donc
parcouru un long chemin. Il était loin maintenant du
déisme et de sa foi en une Sagesse infinie. Nous serions
tentés de nous en étonner. Mais ce changement dans ses
idées nous paraît moins surprenant lorsque nous observons le profond renouvellement qui venait, en quelques
années, de se produire dans les sciences et dans la philosophie de la nature.

Quand Diderot avait écrit ses *Pensées philosophiques*,
on considérait comme prouvé, dans le monde savant,
qu'entre la matière inanimée et la matière vivante, il
n'existe pas de passage. Pour expliquer l'apparition de
la vie, il fallait donc admettre l'intervention d'une puissance extérieure au monde, l'intervention d'un Dieu.
En 1746, Diderot admettait cette thèse sans la discuter.
Mais voici qu'en 1748, l'abbé Needham soutint qu'il
avait vu, dans des expériences nombreuses et métho-
diques, des matières végétales engendrant des organismes
animaux. Voilà pourquoi Saunderson, dans la *Lettre sur
les aveugles*, affirme que « la matière en fermentation fait
éclore l'univers ».

La vieille philosophie naturaliste, longtemps aban-
donnée, gagnait rapidement du terrain. L'illustre Mau-
pertuis composait, sans d'ailleurs le publier encore, son
Essai de cosmologie. Il y développait la conception matérialiste de la nature dans les termes de la science moderne.
Le monde apparaissait comme une combinaison fortuite
d'atomes, faite d'échecs et de réussites, et celles-ci
étaient seules à durer. Même un esprit prudent comme
Buffon se ralliait à ces vues. En 1749, l'année même de
la *Lettre sur les aveugles*, les premiers volumes de son
Histoire naturelle paraissaient, qui expliquaient la formation de la terre aussi bien que celle des organismes
vivants comme le résultat d'une action lente, étendue
dans l'immense durée, tâtonnante, inspirée par une
obscure volonté de subsister et de vivre. La disparition
des monstres était la conséquence naturelle de leur
inaptitude à durer.

Cette conception de la nature, La Mettrie, dans les
mêmes années, avait commencé à l'affirmer en des formules qui ne craignaient pas le scandale. Il avait dit que

la « faculté sensitive » fait tout chez l'homme, et que le passage s'opère de façon insensible de l'animal à l'être humain. Il avait parlé des tâtonnements de la nature, il avait expliqué les finalités apparentes des espèces vivantes par la disparition de celles qui s'étaient révélées inaptes à vivre. Il est clair que Diderot suivait avec attention les travaux de La Mettrie.

Il était donc maintenant matérialiste, au sens qu'avait alors ce mot. Mais il l'était à sa manière, qui n'était pas celle des esprits dogmatiques. Au moment même où il acceptait la conception de l'univers qui lui semblait autorisée par la science la plus récente, il n'oubliait pas les enseignements de Newton et de Clarke. Il continuait d'en sentir la grandeur. C'est ce qui fait l'émouvante beauté du discours qu'il prête à Saunderson, et ce cri que pousse le mourant : « O Dieu de Clarke et de Newton, prends pitié de moi. » Nous serions bien à plaindre si nous ne savions découvrir dans cette phrase que de la littérature.

La *Lettre sur les aveugles* fut mise en vente au début de juin 1749, et dès le 24 juillet le commissaire Rochebrune se présentait chez Diderot, perquisitionnait dans ses papiers, puis le conduisait à Vincennes. Cette sévérité s'explique sans peine. Diderot était depuis deux ans considéré « comme un homme très dangereux ». La police le surveillait, et le curé de Saint-Médard se faisait un pieux devoir de ranimer son zèle de temps à autre. On faisait un crime au philosophe d'avoir écrit, non pas seulement les *Pensées* de 1746, mais les *Bijoux indiscrets, la Promenade du sceptique*, et certain conte où l'on croyait découvrir des traits satiriques contre le roi, *l'Oiseau blanc, conte bleu*. Au dire de la fille de Diderot, il fut tout particulièrement signalé à l'attention du comte d'Argenson, ministre de qui dépendaient les affaires de la librairie, par une dame qui ne pardonnait pas au philosophe certaine plaisanterie faite à ses dépens. On accusa même, dans les cercles informés, le savant Réaumur d'avoir porté plainte contre Diderot : certaines phrases, au début de la *Lettre sur les aveugles*, lui avaient paru offensantes à son égard. L'abbé Trublet a dit sans doute le mot le plus juste sur cette affaire. La *Lettre sur les aveugles*, écrivait-il à un ami, fut « la dernière goutte d'eau » qui fit « répandre le vase ».

Le Supplément au Voyage de Bougainville

Lorsque Diderot écrivit le *Supplément au Voyage de Bougainville*, il n'était plus l'homme de lettres imprudent qui avait écrit les *Pensées philosophiques* et la *Lettre sur les aveugles*. On était en 1772. Le philosophe était devenu un personnage. Il pouvait revendiquer l'honneur d'avoir mené à bonne fin l'une des plus grandes entreprises du siècle, l'*Encyclopédie*. Il donnait son temps maintenant à la critique d'art. Il composait de temps à autre, pour lui et ses amis, sans aucun souci de propagande, des contes, de brefs essais, qui lui permettaient de dire sa pensée sur les questions d'ordre philosophique ou moral qui s'agitaient autour de lui.

En 1771 venait de paraître *le Voyage autour du monde* de Bougainville. Il avait fait grand bruit. Le public s'était intéressé de façon particulière à la description des mœurs de Tahiti, à des formes de pensée et de vie si différentes des nôtres. Et parce que les contemporains de Diderot n'étaient pas particulièrement prudes, ils avaient surtout remarqué, dans l'ouvrage de Bougainville, de piquants détails sur l'extrême liberté qui régnait là-bas dans les rapports entre les sexes. D'autres voyageurs en avaient parlé. Mais les Parisiens ne s'excitèrent à ce sujet qu'après avoir lu Bougainville.

Quoi qu'en dise la légende, Diderot n'avait aucun goût pour le libertinage. Il avait, ce qui est bien différent, la verve volontiers gaillarde, dans la bonne et saine tradition de Rabelais. Les rapports des sexes, à Tahiti, n'étaient pas pour effaroucher sa pudeur. Mais en fait, et bien plus sérieusement, l'existence d'une humanité si différente de la nôtre ramenait son attention sur un problème qui de tout temps l'avait occupé, l'origine des valeurs morales sur lesquelles est fondée notre civilisation. Vers la fin de 1771, il composa donc, pour la *Correspondance* de Grimm, un article sur *le Voyage de Bougainville*. Il s'attachait surtout à noter l'extrême liberté sexuelle des indigènes, mais aussi les bienfaits et les désastres de la colonisation. Pour des raisons inconnues, l'article ne fut pas inséré dans la *Correspondance*. Mais Diderot ne l'oubliait pas. Au mois de septembre 1772, il pensa de nouveau au *Voyage de Bougainville*. Il écrivit, en marge du livre, un texte qu'il intitula *Supplément au Voyage de*

Bougainville. Il l'acheva en très peu de temps. Mais il y revint plusieurs fois dans la suite, pour le modifier et l'augmenter. Il semble probable qu'il y travailla de nouveau en 1778-1779.

Le pire contresens que nous puissions commettre quand nous lisons le *Supplément au Voyage*, serait d'y voir une œuvre de critique toute négative, qui ne laisserait debout aucune valeur morale, et qui du même coup autoriserait le libertinage. Nous nous tromperions également si nous venions à penser que Diderot, mis en présence de mœurs si différentes des nôtres, conclut à une sorte de relativisme radical et n'admet aucune valeur morale absolue. Il ne cède même pas à la tentation qui sollicitait alors certains esprits, il ne croit pas qu'il ait existé et qu'il existe encore un état de pure nature et d'innocence primitive où les hommes connaissent le bonheur par l'absence de toute contrainte. Certaines formules, dans le *Supplément*, pourraient le faire penser. Elles ont en réalité un autre sens.

Ce n'est pas l'ordre moral, considéré en lui-même, que Diderot condamne, c'est le faux ordre des Européens. Ils ont introduit à Tahiti le remords et l'effroi. Les deux symboles de leur civilisation, c'est l'épée du soldat et le chapelet du prêtre, c'est-à-dire la violence et l'asservissement. Leur morale est faite de préceptes singuliers, opposés à la nature et contraires à la raison. L'ordre qu'ils font régner multiplie les malfaiteurs et les malheureux.

Le peuple de Tahiti est resté bien plus proche de l'ordre naturel. Ce n'est pas la licence et le vice. Ce peuple a des lois, mais qui ne contredisent pas la nature. Il en a même, malgré les apparences, dans ce qui concerne les rapports des sexes. Elles s'inspirent d'un grand principe, la paternité. Tout ce qui tend à la procréation d'enfants vigoureux et sains est légitime. Ce qui ne sert qu'au plaisir est condamné.

Ainsi s'éclaire l'importance capitale du discours d'Orou à l'aumônier. Pas un instant le vertueux Orou ne met en question qu'il existe un ordre moral. Mais cet ordre est fondé sur « la nature des choses ». Ordre éternel et immuable, car nul ne peut « ajouter ou retrancher aux lois de la nature », et ce qu'elle enseigne, c'est que le bien doit être préféré au mal, et le bien général au bien particulier. L'idée ne viendrait pas à Orou — ni à Diderot — que le bien et le mal soient des chimères ou des impostures.

La civilisation européenne se trouve donc durement condamnée. Mais ne faut-il pas dire aussi que toute civilisation se trouve, dans le *Supplément*, mise en question ? Diderot, à coup sûr, n'avait aucune sympathie pour la chimère du *primitivisme* et ne songeait pas à s'attendrir sur les vertus du bon sauvage. Mais il avait conscience que l'idée même de civilisation implique des vices qui sont liés à son essence. Toute civilisation naît d'un effort pour aller au-delà de ce qui est, et il est inévitable que cet effort aille trop loin et finisse par contredire la nature. Voilà pourquoi nous sommes des êtres déchirés en qui s'affrontent l'homme naturel et l'homme « artificiel ». Le conflit est inévitable, et ses conséquences ne peuvent être que funestes.

Faudrait-il en conclure que les hommes sont d'autant plus méchants qu'ils sont plus civilisés ? Diderot évoque cette idée dans le dialogue qui termine le *Supplément*. Mais il ne s'y arrête pas, et ce n'est pas à cette conclusion qu'il aboutit. La dernière page est décisive. Il ne saurait être question de revenir à l'état de nature. Il n'est pas davantage permis d'enfreindre les lois, lors même que nous sommes convaincus qu'elles sont insensées. Nous avons le droit, le devoir sans doute de parler contre elles, de travailler à les faire réformer. Mais « celui qui de son autorité privée enfreint une loi mauvaise, autorise tout autre à enfreindre les bonnes ».

Admirable formule, qui sert de conclusion au *Supplément*, et qui pourrait être aussi bien le dernier mot de la philosophie de Diderot.

Antoine ADAM.

BIBLIOGRAPHIE

Éditions des textes de Diderot

Œuvres complètes, éd. Jules Assézat et Maurice Tourneux, Garnier frères, 1875, 18 vol., tomes I et II.

Œuvres complètes de Denis Diderot, éd. Roger Lewinter, Club français du livre, 1969, tomes I, II et X.

Œuvres complètes, éd. Herbert Dieckmann, Jacques Proust et Jean Varloot, Hermann, 1975-, 25 vol., tome II, « Idées I. Philosophie et mathématiques », tome IV, « Idées II. Le Nouveau Socrate », tome XII, « Fiction IV. *Le Neveu de Rameau* ».

Œuvres, éd. Laurent Versini, Robert Laffont, coll. « Bouquins », 1994, 5 vol., tome I, « Philosophie », tome II, « Contes », tome IV, « Esthétique-théâtre ».

Œuvres philosophiques, éd. Paul Vernière, Classiques Garnier, 1998 [1956].

Lettre sur les aveugles. Lettre sur les sourds et muets, éd. Marian Hobson et Simon Harvey, GF-Flammarion, 2000.

Supplément au voyage de Bougainville, éd. Michel Delon, Gallimard, coll. « Folio », 2002.

Pensées philosophiques. Addition aux Pensées philosophiques, éd. Jean-Claude Bourdin, GF-Flammarion, 2007.

Pensées philosophiques. Lecture de Roland Mortier, éd. Roland Mortier, Arles, Actes Sud, coll. « Babel », 1998.

Outils et ouvrages généraux sur l'œuvre de Diderot

L'Aveugle et le philosophe ou comment la cécité donne à penser, dir. Marion Chottin, Publications de la Sorbonne, coll. « Philosophie-Université Paris I, Panthéon-Sorbonne », 2009.

BELAVAL, Yvon, *Études sur Diderot*, PUF, 2003.

BENOT, Yves, *Diderot, de l'athéisme à l'anticolonialisme*, François Maspero, coll. « Fondations », 1981.

–, *Les Lumières, l'esclavage, la colonisation*, La Découverte, 2005.

BONNET, Jean-Claude, *Diderot : promenades dans l'œuvre*, Le Livre de Poche, coll. « Les Classiques de Poche », 2012.

BOURDIN, Jean-Claude, *Diderot. Le matérialisme*, PUF, coll. « Philosophes », 1998.

CABANE, Franck, *L'Écriture en marge dans l'œuvre de Diderot*, Honoré Champion, 2009.

CASSIRER, Ernst, *La Philosophie des Lumières*, Fayard, 1966.

DEGENAAR, Marjolein, *Molyneux's Problem : Three Centuries of Discussion on the Perception of Forms*, trad. Michael J. Collins, Dordrecht, Kluwer academic publishers, coll. « Archives internationales d'histoire des idées », 1996.

DIECKMANN, Herbert, *Cinq leçons sur Diderot*, Paris-Genève, Droz-Librairie Minard, 1959.

–, *Diderot und die Aufklärung*, Munich, Kraus International Publications, 1980.

DUCHET, Michèle, *Anthropologie et histoire au siècle des Lumières*, Albin Michel, 1995.

DUFLO, Colas, *Diderot, philosophe*, Honoré Champion, coll. « Travaux de philosophie », 2003.

Être matérialiste à l'âge des Lumières : hommage offert à Roland Desné, dir. Béatrice Fink et Gerhardt Stenger, PUF, 1999.

FONTENAY, Élisabeth de, *Diderot ou le matérialisme enchanté*, Grasset, 1981.

HARTMANN, Pierre, *Diderot : la figuration du philosophe*, José Corti, 2003.

IBRAHIM, Annie, *Le Vocabulaire de Diderot*, Ellipses, 2002.

JACOT GRAPA, Caroline, *Dans le vif du sujet : Diderot, corps et âme*, Classiques Garnier, 2009.

LABORDE, Alice M., *Diderot et Mme de Puisieux*, Saratoga, Anma Libri, 1984.

Les Lumières en mouvement : la circulation des idées au XVIIIᵉ siècle, dir. Isabelle Moreau, Lyon, ENS Éditions, coll. « La Croisée des chemins », 2009.

MAC DONALD, Christie V., *The Dialogue of Writing. Essays in Eighteenth Century French Literature*, Waterloo, Wilfrid Laurier University Press, coll. « Bibliothèque de la "Revue canadienne de littérature comparée" », 1984.

Le Matérialisme des Lumières, Dix-Huitième Siècle, 24, 1992.

MORTIER, Roland et TROUSSON, Raymond, *Dictionnaire de Diderot*, Honoré Champion, coll. « Dictionnaires & références », 4, 1999.

OKON, Luzian, *Nature et civilisation dans le « Supplément au voyage de Bougainville » de Denis Diderot*, Francfort-sur-le-Main, Peter Lang, coll. « Publications universitaires européennes. Langue et littérature françaises », 1980.

PAPIN, Bernard, *Sens et fonction de l'utopie tahitienne dans l'œuvre politique de Diderot*, Oxford, Voltaire Foundation, coll. « Studies on Voltaire and the Eighteenth Century », 1988.

PROUST, Jacques, *Diderot et « L'Encyclopédie »*, 3ᵉ éd., Albin Michel, coll. « Bibliothèque de l'évolution de l'humanité », 17, 1995.

PROUST, Jacques, *L'Objet et le texte : pour une poétique de la prose française du XVIIIᵉ siècle*, Genève, Droz, coll. « Histoire des idées et critique littéraire », 1980.

SALAÜN, Franck, *Le Genou de Jacques : singularités et théorie du « moi » dans l'œuvre de Diderot*, Hermann, coll. « Fictions pensantes », 2010.

SHERMAN, Claude, *Diderot and the Art of Dialogue*, Genève, Droz, 1976.

SPALLANZANI, Mariafranca, « Figures de philosophes dans l'œuvre de Diderot », *Recherches sur Diderot et sur l'Encyclopédie*, 26, 1999, p. 49-65.

STENGER, Gerhardt, *Nature et liberté chez Diderot : après l'« Encyclopédie »*, Universitas, 1994.

VENTURI, Franco, *La Jeunesse de Diderot*, trad. Juliette Bertrand, Genève, Slatkine Reprints, 1967.

WALL, Anthony, *Ce corps qui parle : pour une lecture dialogique de Denis Diderot*, Montréal, XYZ éditeur, 2005.

Articles

Sur le *Supplément au voyage de Bougainville*

ANDRÉ, Valérie, « Diderot : contes politiques et politique du conte », *Féeries*, 3, université Grenoble III-Stendhal, 2006.

BENREKASSA, Georges, « Dit et non-dit idéologique : à propos du *Supplément au voyage de Bougainville* », *Dix-Huitième Siècle*, 5, 1973, p. 29-40.

–, « Loi naturelle et loi civile : l'idéologie des Lumières et la prohibition de l'inceste », *Studies on Voltaire and the Eighteenth Century*, 87, 1972, p. 115-144.

COULET, Henri, « Deux confrontations du sauvage et du civilisé : les *Dialogues* de Lahontan et le *Supplément au voyage de Bougainville* de Diderot », *Man and Nature/L'Homme et la Nature*, 9, 1990, p. 119-132.

HARTMANN, Pierre, « Les "Adieux du Vieillard" comme anamorphose littéraire », *Recherches sur Diderot et sur l'Encyclopédie*, 16, 1994, p. 61-70.

KOVACS, Eszter, « De la méfiance à une critique raisonnée : considérations sur les voyageurs et les voyages chez Diderot », *Recherches sur Diderot et sur l'Encyclopédie, Varia*, 45, 2011, p. 26-43.

MACARY, Jean, « Le dialogue de Diderot et l'antirhétorique », *Studies on Voltaire and the Eighteenth Century*, 153, 1972, p. 1337-1346.

MAC DONALD, Christie V., « Le dialogue, l'utopie : le *Supplément au voyage de Bougainville* par Denis Diderot », *Revue canadienne de littérature comparée*, 3, 1976, p. 63-74.

MORTIER, Roland, « Diderot et le problème de l'expressivité : de la pensée au dialogue heuristique », *Cahiers de l'Association internationale des études françaises*, 13, 1961, p. 283-297.

SOZZI, Lionello, « La favola, la legge, l'attesta : Riforma e utopia nel *Supplément* di Diderot », *Il Confronto letterario*, 5, 1986, p. 3-57.

STRUGNELL, Anthony R., « Fable et vérité : stratégies narratives et discursives dans les écrits de Diderot sur le colonialisme », *Recherches sur Diderot et sur l'Encyclopédie*, 30, 2001, p. 35-46.

TERRASSE, Jean, « La contamination des genres chez Diderot : contes, nouvelles, entretiens ou dialogues philosophiques ? », *Eighteenth-Century Fiction*, 13, 2001, p. 279-300.

WERNER, Stephen, « Diderot's *Supplément* and the Late Enlightenment Thought », *Studies on Voltaire and the Eighteenth Century*, 86, 1971, p. 229-292.

Sur les *Pensées philosophiques*

BELAVAL, Yvon, « Sur l'*Addition aux Pensées philosophique*s », in *Essays on Diderot and the Enlightenment in Honour of Otis Fellows*, Genève, Droz, 1974.

NIKLAUS, Robert, « Les *Pensées philosophiques* de Diderot et les *Pensées* de Pascal », *Diderot Studies*, 20, 1981, p. 201-218.

QUINTILI, Paolo, « Denis Diderot, *Pensées philosophiques*, lecture de Roland Mortier », *Recherches sur Diderot et sur l'Encyclopédie*, *Varia*, 25, 1998, p. 169-170.

STENGER, Gerhardt, « L'atomisme dans les *Pensées philosophiques* : Diderot entre Gassendi et Buffon », *Dix-Huitième Siècle*, 35, 2003, p. 75-100.

VENTURI, Franco, « *Addition aux Pensées philosophiques* », *Revue d'histoire littéraire de la France*, 45, 1938, p. 23-42.

VERCRUYSSE, Jeroom, « Recherches bibliographiques sur les *Pensées philosophiques* de Diderot », *Dix-Huitième Siècle*, 4, 1972, p. 374-378.

Sur la *Lettre sur les aveugles*

BOURDIN, Jean-Claude, « Matérialisme et scepticisme chez Diderot », *Recherches sur Diderot et sur l'Encyclopédie*, 26, 1999, p. 85-98.

CHOUILLET, Jacques, « Le personnage du sceptique dans les premières œuvres de Diderot », *Dix-Huitième Siècle*, 1, 1969, p. 195-211.

EHRARD, Jean, « Matérialisme et naturalisme : les sources occultistes de la pensée de Diderot », *Cahiers de l'Association internationale des études françaises*, 13, 1961, p. 189-201.

IBRAHIM, Annie, « Les adversaires de la métaphore du jeu de dés », in *Les Ennemis de Diderot*, dir. Anne-Marie Chouillet, Klincksieck, 1993, p. 77-89.

La « Lettre sur les aveugles ». *Recherches sur Diderot et sur l'Encyclopédie*, 28, 2000.

MARKOVITS, Francine, « Diderot, Mérian et l'aveugle », postface de Jean-Bernard Mérian, *Sur le problème de Molynieux*, Flammarion, 1984, p. 193-282.

STENGER, Gerhardt, « La théorie de la connaissance dans la *Lettre sur les aveugles* », *Recherches sur Diderot et sur l'Encyclopédie*, 26, 1999, p. 99-111.

PENSÉES PHILOSOPHIQUES

Quis leget hæc ?

Pers. *Sat.* I.

J'écris de Dieu ; je compte sur peu de lecteurs, et n'aspire qu'à quelques suffrages. Si ces pensées ne plaisent à personne, elles pourront n'être que mauvaises ; mais je les tiens pour détestables si elles plaisent à tout le monde.

I

On déclame sans fin contre les passions ; on leur impute toutes les peines de l'homme, et l'on oublie qu'elles sont aussi la source de tous ses plaisirs. C'est dans sa constitution un élément dont on ne peut dire ni trop de bien ni trop de mal. Mais ce qui me donne de l'humeur, c'est qu'on ne les regarde jamais que du mauvais côté. On croirait faire injure à la raison, si l'on disait un mot en faveur de ses rivales. Cependant il n'y a que les passions, et les grandes passions, qui puissent élever l'âme aux grandes choses. Sans elles, plus de sublime, soit dans les mœurs, soit dans les ouvrages ; les beaux-arts retournent en enfance, et la vertu devient minutieuse.

II

Les passions sobres font les hommes communs. Si j'attends l'ennemi, quand il s'agit du salut de ma patrie, je ne suis qu'un citoyen ordinaire. Mon amitié n'est que circonspecte, si le péril d'un ami me laisse les yeux ouverts sur le mien. La vie m'est-elle plus chère que ma maîtresse, je ne suis qu'un amant comme un autre.

III

Les passions amorties dégradent les hommes extraordinaires. La contrainte anéantit la grandeur et l'énergie de la nature. Voyez cet arbre ; c'est au luxe de ses branches que vous devez la fraîcheur et l'étendue de ses ombres : vous en jouirez jusqu'à ce que l'hiver vienne le dépouiller de sa chevelure. Plus d'excellence en poésie, en peinture, en musique, lorsque la superstition aura fait sur le tempérament l'ouvrage de la vieillesse.

IV

Ce serait donc un bonheur, me dira-t-on, d'avoir les passions fortes. Oui, sans doute, si toutes sont à l'unisson. Etablissez entre elles une juste harmonie, et n'en appréhendez point de désordres. Si l'espérance est balancée par la crainte, le point d'honneur par l'amour de la vie, le penchant au plaisir par l'intérêt de la santé, vous ne verrez ni libertins, ni téméraires, ni lâches.

V

C'est le comble de la folie, que de se proposer la ruine des passions. Le beau projet que celui d'un dévot qui se tourmente comme un forcené pour ne rien désirer, ne rien aimer, ne rien sentir, et qui finirait par devenir un vrai monstre s'il réussissait !

VI

Ce qui fait l'objet de mon estime dans un homme pourrait-il être l'objet de mes mépris dans un autre ? Non, sans doute. Le vrai, indépendant de mes caprices, doit être la règle de mes jugements ; et je ne ferai point un crime à celui-ci de ce que j'admirerai dans celui-là comme une vertu. Croirai-je qu'il était réservé à quelques-uns de pratiquer des actes de perfection, que la nature et la religion doivent ordonner indifféremment à tous ? Encore moins ; car d'où leur viendrait ce privilège exclusif ? Si Pacôme a bien fait de rompre avec le genre humain pour s'enterrer dans une solitude, il ne m'est pas défendu de l'imiter : en l'imitant, je serai tout aussi vertueux que lui ; et je ne devine pas pourquoi cent autres n'auraient pas le même droit que moi. Cependant il ferait beau voir une province entière, effrayée des dangers de la société, se disperser dans les forêts; ses habitants vivre en bêtes farouches pour se sanctifier; mille colonnes élevées sur les ruines de toutes affections sociales; un nouveau peuple de stylites se dépouiller, par religion, des sentiments de la nature, cesser d'être hommes et faire les statues pour être vrais chrétiens.

VII

Quelles voix! quels cris! quels gémissements! Qui a renfermé dans ces cachots tous ces cadavres plaintifs? Quels crimes ont commis tous ces malheureux? Les uns se frappent la poitrine avec des cailloux; d'autres se déchirent le corps avec des ongles de fer; tous ont les regrets, la douleur et la mort dans les yeux. Qui les condamne à ces tourments?... *Le Dieu qu'ils ont offensé...* Quel est donc ce Dieu? *Un Dieu plein de bonté.* Un Dieu plein de bonté trouverait-il du plaisir à se baigner dans les larmes? Les frayeurs ne feraient-elles pas injure à sa clémence? Si des criminels avaient à calmer les fureurs d'un tyran, que feraient-ils de plus?

VIII

Il y a des gens dont il ne faut pas dire qu'ils craignent Dieu, mais bien qu'ils en ont peur.

IX

Sur le portrait qu'on me fait de l'Etre suprême, sur son penchant à la colère, sur la rigueur de ses vengeances, sur certaines comparaisons qui nous expriment en nombres le rapport de ceux qu'il laisse périr à ceux à qui il daigne tendre la main, l'âme la plus droite serait tentée de souhaiter qu'il n'existât pas. L'on serait assez tranquille en ce monde, si l'on était bien assuré que l'on n'a rien à craindre dans l'autre : la pensée qu'il n'y a point de Dieu n'a jamais effrayé personne, mais bien celle qu'il y en a un, tel que celui qu'on me peint.

X

Il ne faut imaginer Dieu ni trop bon, ni méchant. La justice est entre l'excès de la clémence et la cruauté, ainsi

que les peines finies sont entre l'impunité et les peines
éternelles.

XI

Je sais que les idées sombres de la superstition sont
plus généralement approuvées que suivies; qu'il est des
dévots qui n'estiment pas qu'il faille se haïr cruellement
pour bien aimer Dieu et vivre en désespérés pour être
religieux : leur dévotion est enjouée, leur sagesse est fort
humaine; mais d'où naît cette différence de sentiments
entre des gens qui se prosternent au pied des mêmes
autels ? La piété suivrait-elle aussi la loi de ce maudit
tempérament ? Hélas! comment en disconvenir ? Son
influence ne se remarque que trop sensiblement dans le
même dévot : il voit, selon qu'il est affecté, un Dieu
vengeur ou miséricordieux, les enfers ou les cieux ouverts;
il tremble de frayeur ou il brûle d'amour; c'est une
fièvre qui a ses accès froids et chauds.

XII

Oui, je le soutiens, la superstition est plus injurieuse à
Dieu que l'athéisme. « J'aimerais mieux, dit Plutarque,
qu'on pensât qu'il n'y eut jamais de Plutarque au monde,
que de croire que Plutarque est injuste, colère, incons-
tant, jaloux, vindicatif, et tel qu'il serait bien fâché
d'être. »

XIII

Le déiste seul peut faire tête à l'athée. Le superstitieux n'est pas de sa force. Son Dieu n'est qu'un être
d'imagination. Outre les difficultés de la matière, il est
exposé à toutes celles qui résultent de la fausseté de ses
notions. Un C..., un S..., auraient été mille fois plus
embarrassants pour un Vanini, que tous les Nicole et les
Pascal du monde.

XIV

Pascal avait de la droiture; mais il était peureux et
crédule. Elégant écrivain et raisonneur profond, il eût
sans doute éclairé l'univers, si la Providence ne l'eût
abandonné à des gens qui sacrifièrent ses talents à leurs

haines. Qu'il serait à souhaiter qu'il eût laissé aux théologiens de son temps le soin de vider leurs querelles; qu'il se fût livré à la recherche de la vérité, sans réserve et sans crainte d'offenser Dieu, en se servant de tout l'esprit qu'il en avait reçu, et surtout qu'il eût refusé pour maîtres des hommes qui n'étaient pas dignes d'être ses disciples! On pourrait bien lui appliquer ce que l'ingénieux La Mothe disait de La Fontaine : Qu'il fut assez bête pour croire qu'Arnaud, de Sacy et Nicole valaient mieux que lui.

XV

« Je vous dis qu'il n'y a point de Dieu; que la création est une chimère; que l'éternité du monde n'est pas plus incommode que l'éternité d'un esprit; que, parce que je ne conçois pas comment le mouvement a pu engendrer cet univers, qu'il a si bien la vertu de conserver, il est ridicule de lever cette difficulté par l'existence supposée d'un être que je ne conçois pas davantage; que, si les merveilles qui brillent dans l'ordre physique décèlent quelque intelligence, les désordres qui règnent dans l'ordre moral anéantissent toute Providence. Je vous dis que, si tout est l'ouvrage d'un Dieu, tout doit être le mieux qu'il est possible : car, si tout n'est pas le mieux qu'il est possible, c'est en Dieu impuissance ou mauvaise volonté. C'est donc pour le mieux que je ne suis pas plus éclairé sur son existence : cela posé, qu'ai-je affaire de vos lumières ? Quand il serait aussi démontré qu'il l'est peu que tout mal est la source d'un bien; qu'il était bon qu'un Britannicus, que le meilleur des princes pérît; qu'un Néron, que le plus méchant des hommes régnât; comment prouverait-on qu'il était impossible d'atteindre au même but sans user des mêmes moyens ? Permettre des vices pour relever l'éclat des vertus, c'est un bien frivole avantage pour un inconvénient si réel. » Voilà, dit l'athée, ce que je vous objecte, qu'avez-vous à répondre ?... « *Que je suis un scélérat, et que si je n'avais rien à craindre de Dieu, je n'en combattrais pas l'existence.* » Laissons cette phrase aux déclamateurs : elle peut choquer la vérité; l'urbanité la défend, et elle marque peu de charité. Parce qu'un homme a tort de ne pas croire en Dieu, avons-nous raison de l'injurier ? On n'a recours aux invectives que quand on manque de preuves. Entre deux controversistes, il y a cent à parier contre un que

celui qui aura tort se fâchera. « Tu prends ton tonnerre
au lieu de répondre, dit Ménippe à Jupiter; tu as donc
tort. »

XVI

On demandait un jour à quelqu'un s'il y avait de
vrais athées. Croyez-vous, répondit-il, qu'il y ait de vrais
chrétiens ?

XVII

Toutes les billevesées de la métaphysique ne valent
pas un argument *ad hominem*. Pour convaincre, il ne faut
quelquefois que réveiller le sentiment ou physique ou
moral. C'est avec un bâton qu'on a prouvé au pyrrhonien
qu'il avait tort de nier son existence. Cartouche, le pistolet à la main, aurait pu faire à Hobbes une pareille leçon :
« La bourse ou la vie; nous sommes seuls, je suis le plus
fort, et il n'est pas question entre nous d'équité. »

XVIII

Ce n'est pas de la main du métaphysicien que sont
partis les grands coups que l'athéisme a reçus. Les médi-
tations sublimes de Malebranche et de Descartes étaient
moins propres à ébranler le matérialisme qu'une observation de Malpighi. Si cette dangereuse hypothèse chan-
celle de nos jours, c'est à la physique expérimentale que
l'honneur en est dû. Ce n'est que dans les ouvrages de
Newton, de Musschenbroek, d'Hartsoeker et de Nieuwentyt, qu'on a trouvé des preuves satisfaisantes de
l'existence d'un être souverainement intelligent. Grâce
aux travaux de ces grands hommes, le monde n'est plus
un dieu : c'est une machine qui a ses roues, ses cordes,
ses poulies, ses ressorts et ses poids.

XIX

Les subtilités de l'ontologie ont fait tout au plus des
sceptiques; c'est à la connaissance de la nature qu'il était
réservé de faire de vrais déistes. La seule découverte des
germes a dissipé une des plus puissantes objections de
l'athéisme. Que le mouvement soit essentiel ou acciden-
tel à la matière, je suis maintenant convaincu que ses

effets se terminent à des développements : toutes les observations concourent à me démontrer que la putréfaction seule ne produit rien d'organisé ; je puis admettre que le mécanisme de l'insecte le plus vil n'est pas moins merveilleux que celui de l'homme, et je ne crains pas qu'on en infère qu'une agitation intestine des molécules étant capable de donner l'un, il est vraisemblable qu'elle a donné l'autre. Si un athée avait avancé, il y a deux cents ans, qu'on verrait peut-être un jour des hommes sortir tout formés des entrailles de la terre, comme on voit éclore une foule d'insectes d'une masse de chair échauffée, je voudrais bien savoir ce qu'un métaphysicien aurait eu à lui répondre.

XX

C'était en vain que j'avais essayé contre un athée les subtilités de l'école ; il avait même tiré de la faiblesse de ces raisonnements une objection assez forte. « Une multitude de vérités inutiles me sont démontrées sans réplique, disait-il ; et l'existence de Dieu, la réalité du bien et du mal moral, l'immortalité de l'âme, sont encore des problèmes pour moi. Quoi donc! me serait-il moins important d'être éclairé sur ces sujets, que d'être convaincu que les trois angles d'un triangle sont égaux à deux droits ? » Tandis qu'en habile déclamateur il me faisait avaler à longs traits toute l'amertume de cette réflexion, je rengageai le combat par une question qui dut paraître singulière à un homme enflé de ses premiers succès... Êtes-vous un être pensant ? lui demandai-je... « En pourriez-vous douter ? », me répondit-il d'un air satisfait... Pourquoi non ? qu'ai-je aperçu qui m'en convainque ? Des sons et des mouvements ? Mais le philosophe en voit autant dans l'animal qu'il dépouille de la faculté de penser : pourquoi vous accorderais-je ce que Descartes refuse à la fourmi ? Vous produisez à l'extérieur des actes assez propres à m'en imposer ; je serais tenté d'assurer que vous pensez en effet ; mais la raison suspend mon jugement. « Entre les actes extérieurs et la pensée, il n'y a point de liaison essentielle, me dit-elle ; il est possible que ton antagoniste ne pense non plus que sa montre : fallait-il prendre pour un être pensant le premier animal à qui l'on apprit à parler ? Qui t'a révélé que tous les hommes ne sont pas autant de perroquets instruits à ton insu ?... » « Cette comparaison est tout au plus ingénieuse, me répliqua-t-il; ce n'est pas sur le mouvement et les sons, c'est sur le fil des idées, la conséquence qui règne entre les propositions et la liaison des raisonnements, qu'il faut juger qu'un être pense : s'il se trouvait un perroquet qui répondît à tout, je prononcerais sans balancer que c'est un être pensant... Mais qu'a de commun cette question avec l'existence de Dieu ? Quand vous m'aurez démontré que l'homme en qui j'aperçois le plus d'esprit n'est peut-être qu'un automate, en serai-je mieux disposé à reconnaître une intelligence dans la nature ?... » C'est mon affaire, repris-je : convenez cependant qu'il y aurait de la folie à refuser à vos semblables la faculté de penser. « Sans doute; mais que s'ensuit-il de là ?... » Il s'ensuit que si l'univers, que dis-je l'univers, que si l'aile d'un papillon m'offre des traces mille fois plus distinctes d'une intelligence que vous n'avez d'indices que votre semblable est doué de la faculté de penser, il serait mille fois plus fou de nier qu'il existe un Dieu que de nier que votre semblable pense. Or, que cela soit ainsi, c'est à vos lumières, c'est à votre conscience que j'en appelle : avez-vous jamais remarqué dans les raisonnements, les actions et la conduite de quelque homme que ce soit, plus d'intelligence, d'ordre, de sagacité, de conséquence que dans le mécanisme d'un insecte ? La Divinité n'est-elle pas aussi clairement empreinte dans l'œil d'un ciron que la faculté de penser dans les ouvrages du grand Newton ? Quoi! le monde formé prouve moins une intelligence que le monde expliqué ?... Quelle assertion!... « Mais, répliquez-vous, j'admets la faculté de penser dans un autre d'autant plus volontiers que je pense moi-même... » Voilà, j'en tombe d'accord, une présomption que je n'ai point; mais n'en suis-je pas dédommagé par la supériorité de mes preuves sur les vôtres ? L'intelligence d'un premier être ne m'est-elle pas mieux démontrée dans la nature par ses ouvrages, que la faculté de penser dans un philosophe par ses écrits ? Songez donc que je ne vous objectais qu'une aile de papillon, qu'un œil de ciron, quand je pouvais vous écraser du poids de l'univers. Ou je me trompe lourdement, ou cette preuve vaut bien la meilleure qu'on ait encore dictée dans les écoles. C'est sur ce raisonnement, et quelques autres de la même simplicité, que j'admets l'existence d'un Dieu, et non sur ces tissus d'idées sèches et métaphysiques, moins propres à dévoiler la vérité qu'à lui donner l'air du mensonge.

XXI

J'ouvre les cahiers d'un professeur célèbre, et je lis :
« Athées, je vous accorde que le mouvement est essentiel
à la matière ; qu'en concluez-vous ?... que le monde résulte
du jet fortuit des atomes ? J'aimerais autant que vous me
dissiez que *l'Iliade* d'Homère, ou *la Henriade* de Voltaire,
est un résultat de jets fortuits de caractères. » Je me garderai bien de faire ce raisonnement à un athée : cette
comparaison lui donnerait beau jeu. Selon les lois de
l'analyse des sorts, me dirait-il, je ne dois point être
surpris qu'une chose arrive lorsqu'elle est possible, et
que la difficulté de l'événement est compensée par la
quantité des jets. Il y a tel nombre de coups dans lesquels je gagerais, avec avantage, d'amener cent mille six
à la fois avec cent mille dés. Quelle que fût la somme
finie des caractères avec laquelle on me proposerait d'engendrer fortuitement *l'Iliade*, il y a telle somme finie de
jets qui me rendrait la proposition avantageuse : mon
avantage serait même infini si la quantité de jets accordée
était infinie. Vous voulez bien convenir avec moi, conti-
nuerait-il, que la matière existe de toute éternité, et que
le mouvement lui est essentiel. Pour répondre à cette
faveur, je vais supposer avec vous que le monde n'a
point de bornes ; que la multitude des atomes était infinie,
et que cet ordre qui vous étonne ne se dément nulle part :
or, de ces aveux réciproques, il ne s'ensuit autre chose,
sinon que la possibilité d'engendrer fortuitement l'univers est très petite, mais que la quantité des jets est infinie, c'est-à-dire que la difficulté de l'événement est plus
que suffisamment compensée par la multitude des jets.
Donc, si quelque chose doit répugner à la raison, c'est
la supposition que, la matière s'étant mue de toute éternité, et qu'y ayant peut-être dans la somme infinie des
combinaisons possibles un nombre infini d'arrangements
admirables, il ne se soit rencontré aucun de ces arrangements admirables dans la multitude infinie de ceux
qu'elle a pris successivement. Donc, l'esprit doit être
plus étonné de la durée hypothétique du chaos que de
la naissance réelle de l'univers.

XXII

Je distingue les athées en trois classes. Il y en a
quelques-uns qui vous disent nettement qu'il n'y a point

de Dieu, et qui le pensent : *ce sont les vrais athées;* un
assez grand nombre, qui ne savent qu'en penser, et qui
décideraient volontiers la question à croix ou pile : *ce
sont les athées sceptiques;* beaucoup plus qui voudraient
qu'il n'y en eût point, qui font semblant d'en être persuadés, qui vivent comme s'ils l'étaient : *ce sont les fanfarons du parti.* Je déteste les fanfarons : ils sont faux; je
plains les vrais athées : toute consolation me semble
morte pour eux; *et je prie Dieu* pour les sceptiques : ils
manquent de lumières.

XXIII

Le déiste assure l'existence d'un Dieu, l'immortalité
de l'âme et ses suites; le sceptique n'est point décidé sur
ces articles; l'athée les nie. Le sceptique a donc, pour
être vertueux, un motif de plus que l'athée, et quelque
raison de moins que le déiste. Sans la crainte du législateur, la pente du tempérament et la connaissance des
avantages actuels de la vertu, la probité de l'athée manquerait de fondement, et celle du sceptique serait fondée
sur un *peut-être.*

XXIV

Le scepticisme ne convient pas à tout le monde. Il
suppose un examen profond et désintéressé : celui qui
doute parce qu'il ne connaît pas les raisons de crédibilité
n'est qu'un ignorant. Le vrai sceptique a compté et pesé
les raisons. Mais ce n'est pas une petite affaire que de
peser des raisonnements. Qui de nous en connaît exactement la valeur ? Qu'on apporte cent preuves de la même
vérité, aucune ne manquera de partisans. Chaque esprit
a son télescope. C'est un colosse à mes yeux que cette
objection qui disparaît aux vôtres : vous trouvez légère
une raison qui m'écrase. Si nous sommes divisés sur la
valeur intrinsèque, comment nous accorderons-nous sur
le poids relatif ? Dites-moi, combien faut-il de preuves
morales pour contrebalancer une conclusion métaphysique ? Sont-ce mes lunettes qui pèchent ou les vôtres ?
Si donc il est si difficile de peser des raisons, et s'il n'est
point de questions qui n'en aient pour et contre, et
presque toujours à égale mesure, pourquoi tranchons-
nous si vite ? D'où nous vient ce ton si décidé ? N'avons-
nous pas éprouvé cent fois que la suffisance dogmatique

révolte ? « On me faict haïr les choses vraisemblables, dit l'auteur des *Essais*, quand on me les plante pour infaillibles. J'aime ces mots qui amollissent et modèrent la témérité de nos propositions, *à l'adventure, aulcunement, quelquefois, on dict, ie pense*, et autres semblables : et si j'eusse eu à dresser des enfants, ie leur eusse tant mis en la bouche cette façon de respondre enquestante et non resolutive : *qu'est-ce à dire ? Ie ne l'entends pas, Il pourrait estre, est-il vray ?* qu'ils eussent plustost gardé la forme d'apprentis à soixante ans que de représenter les docteurs à l'âge de quinze. »

XXV

Qu'est-ce que Dieu ? question qu'on fait aux enfants, et à laquelle les philosophes ont bien de la peine à répondre.

On sait à quel âge un enfant doit apprendre à lire, à chanter, à danser, le latin, la géométrie. Ce n'est qu'en matière de religion qu'on ne consulte point sa portée; à peine entend-il, qu'on lui demande : Qu'est-ce que Dieu ? C'est dans le même instant, c'est de la même bouche qu'il apprend qu'il y a des esprits follets, des revenants, des loups-garous, et un Dieu. On lui inculque une des plus importantes vérités d'une manière capable de la décrier un jour au tribunal de sa raison. En effet, qu'y aura-t-il de surprenant, si, trouvant à l'âge de vingt ans l'existence de Dieu confondue dans sa tête avec une foule de préjugés ridicules, il vient à la méconnaître et à la traiter ainsi que nos juges traitent un honnête homme qui se trouve engagé par accident dans une troupe de coquins ?

XXVI

On nous parle trop tôt de Dieu; autre défaut : on n'insiste pas assez sur sa présence. Les hommes ont banni la Divinité d'entre eux; ils l'ont reléguée dans un sanctuaire; les murs d'un temple bornent sa vue; elle n'existe point au-delà. Insensés que vous êtes; détruisez ces enceintes qui rétrécissent vos idées; élargissez Dieu; voyez-le partout où il est, ou dites qu'il n'est point. Si j'avais un enfant à dresser, moi, je lui ferais de la Divinité une compagnie si réelle, qu'il lui en coûterait peut-être moins pour devenir athée que pour s'en distraire. Au

lieu de lui citer l'exemple d'un autre homme qu'il connaît
quelquefois pour plus méchant que lui, je lui dirais brusquement : *Dieu t'entend, et tu mens*. Les jeunes gens
veulent être pris par les sens. Je multiplierais donc autour
de lui les signes indicatifs de la présence divine. S'il se
faisait, par exemple, un cercle chez moi, j'y marquerais
une place à Dieu, et j'accoutumerais mon élève à dire :
« Nous étions quatre, Dieu, mon ami, mon gouverneur
et moi. »

XXVII

L'ignorance et l'*incuriosité* sont deux oreillers fort
doux ; mais pour les trouver tels, il faut avoir *la tête aussi
bien faite* que Montaigne.

XXVIII

Les esprits bouillants, les imaginations ardentes ne
s'accommodent pas de l'indolence du sceptique. Ils
aiment mieux hasarder un choix que de n'en faire aucun ;
se tromper que de vivre incertains : soit qu'ils se méfient
de leurs bras, soit qu'ils craignent la profondeur des
eaux, on les voit toujours suspendus à des branches dont
ils sentent toute la faiblesse, et auxquelles ils aiment
mieux demeurer accrochés que de s'abandonner au tor-
rent. Ils assurent tout, bien qu'ils n'aient rien soigneuse-
ment examiné : ils ne doutent de rien, parce qu'ils n'en
ont ni la patience ni le courage. Sujets à des lueurs qui
les décident, si par hasard ils rencontrent la vérité, ce
n'est point à tâtons, c'est brusquement, et comme par
révélation. Ils sont, entre les dogmatiques, ce qu'on
appelle les illuminés chez le peuple dévot. J'ai vu des
individus de cette espèce inquiète qui ne concevaient pas
comment on pouvait allier la tranquillité d'esprit avec
l'indécision. « Le moyen de vivre heureux sans savoir
qui l'on est, d'où l'on vient, où l'on va, pourquoi l'on
est venu ! » Je me pique d'ignorer tout cela, sans en être
plus malheureux, répondait froidement le sceptique : ce
n'est point ma faute si j'ai trouvé ma raison muette
quand je l'ai questionnée sur mon état. Toute ma vie
j'ignorerai, sans chagrin, ce qu'il m'est impossible de
savoir. Pourquoi regretterais-je des connaissances que je
n'ai pu me procurer, et qui, sans doute, ne me sont pas
fort nécessaires, puisque j'en suis privé ? J'aimerais

autant, a dit un des premiers génies de notre siècle m'affliger sérieusement de n'avoir pas quatre yeux, quatre pieds et deux ailes.

XXIX

On doit exiger de moi que je cherche la vérité, mais non que je la trouve. Un sophisme ne peut-il pas m'affecter plus vivement qu'une preuve solide ? Je suis nécessité de consentir au faux que je prends pour le vrai, et de rejeter le vrai que je prends pour le faux : mais, qu'ai-je à craindre, si c'est innocemment que je me trompe ? L'on n'est point récompensé dans l'autre monde pour avoir eu de l'esprit dans celui-ci : y serait-on puni pour en avoir manqué ? Damner un homme pour de mauvais raisonnements, c'est oublier qu'il est un sot pour le traiter comme un méchant.

XXX

Qu'est-ce qu'un sceptique ? C'est un philosophe qui a douté de tout ce qu'il croit, et qui croit ce qu'un usage légitime de sa raison et de ses sens lui a démontré vrai. Voulez-vous quelque chose de plus précis ? Rendez sincère le pyrrhonien, et vous aurez le sceptique.

XXXI

Ce qu'on n'a jamais mis en question n'a point été prouvé. Ce qu'on n'a point examiné sans prévention n'a jamais été bien examiné. Le scepticisme est donc le premier pas vers la vérité. Il doit être général, car il en est la pierre de touche. Si, pour s'assurer de l'existence de Dieu, le philosophe commence par en douter, y a-t-il quelque proposition qui puisse se soustraire à cette épreuve ?

XXXII

L'incrédulité est quelquefois le vice d'un sot, et la crédulité le défaut d'un homme d'esprit. L'homme d'esprit voit loin dans l'immensité des possibles; le sot ne voit guère de possible que ce qui est. C'est là peut-être ce qui rend l'un pusillanime, et l'autre téméraire.

XXXIII

On risque autant à croire trop qu'à croire trop peu. Il n'y a ni plus ni moins de danger à être polythéiste qu'athée : or le scepticisme peut seul garantir également, en tout temps et en tout lieu, de ces deux excès opposés.

XXXIV

Un semi-scepticisme est la marque d'un esprit faible; il décèle un raisonneur pusillanime qui se laisse effrayer par les conséquences; un superstitieux qui croit honorer son Dieu par les entraves où il met sa raison; une espèce d'incrédule qui craint de se démasquer à lui-même; car si la vérité n'a rien à perdre à l'examen, comme en est convaincu le semi-sceptique, que pense-t-il au fond de son âme de ces notions privilégiées qu'il appréhende de sonder, et qui sont placées dans un recoin de sa cervelle, comme dans un sanctuaire dont il n'ose approcher ?

XXXV

J'entends crier de toutes parts à l'impiété. Le chrétien est impie en Asie, le musulman en Europe, le papiste à Londres, le calviniste à Paris, le janséniste au haut de la rue Saint-Jacques, le moliniste au fond du faubourg Saint-Médard. Qu'est-ce donc qu'un impie ? Tout le monde l'est-il, ou personne ?

XXXVI

Quand les dévots se déchaînent contre le scepticisme, il me semble qu'ils entendent mal leur intérêt, ou qu'ils se contredisent. S'il est certain qu'un culte vrai, pour être embrassé, et qu'un faux culte, pour être abandonné, n'ont besoin que d'être bien connus, il serait à souhaiter qu'un doute universel se répandît sur la surface de la terre, et que tous les peuples voulussent bien mettre en question la vérité de leurs religions : nos missionnaires trouveraient la bonne moitié de leur besogne faite.

XXXVII

Celui qui ne conserve pas par choix le culte qu'il a reçu par éducation, ne peut non plus se glorifier d'être

chrétien ou musulman, que de n'être point né aveugle ou
boiteux. C'est un bonheur, et non pas un mérite.

XXXVIII

Celui qui mourrait pour un culte dont il connaîtrait
la fausseté, serait un enragé.

Celui qui meurt pour un culte faux, mais qu'il croit
vrai, ou pour un culte vrai, mais dont il n'a point de
preuves, est un fanatique.

Le vrai martyr est celui qui meurt pour un culte vrai,
et dont la vérité lui est démontrée.

XXXIX

Le vrai martyr attend la mort; l'enthousiaste y court.

XL

Celui qui, se trouvant à La Mecque, irait insulter aux
cendres de Mahomet, renverser ses autels et troubler
toute une mosquée, se ferait empaler à coup sûr, et ne
serait peut-être pas canonisé. Ce zèle n'est plus à la
mode. Polyeucte ne serait de nos jours qu'un insensé.

XLI

Le temps des révélations, des prodiges et des missions
extraordinaires est passé. Le christianisme n'a plus
besoin de cet échafaudage. Un homme qui s'aviserait de
jouer parmi nous le rôle de Jonas, de courir les rues en
criant : « Encore trois jours, et Paris ne sera plus : Parisiens, faites pénitence, couvrez-vous de sacs et de cendres,
ou dans trois jours vous périrez », serait incontinent saisi
et traîné devant un juge qui ne manquerait pas de l'en-
voyer aux Petites-Maisons. Il aurait beau dire : « Peuples,
Dieu vous aime-t-il moins que le Ninivite ? Etes-vous
moins coupables que lui ? » On ne s'amuserait point à
lui répondre; et pour le traiter en visionnaire, on n'atten-
drait pas le terme de sa prédiction.

Elie peut revenir de l'autre monde quand il voudra;
les hommes sont tels qu'il fera de grands miracles s'il
est bien accueilli dans celui-ci.

XLII

Lorsqu'on annonce au peuple un dogme qui contredit la religion dominante, ou quelque fait contraire à la tranquillité publique, justifiât-on sa mission par des miracles, le gouvernement a droit de sévir, et le peuple de s'écrier : *Crucifige.* Quel danger n'y aurait-il pas à abandonner les esprits aux séductions d'un imposteur, ou aux rêveries d'un visionnaire ? Si le sang de Jésus-Christ a crié vengeance contre les Juifs, c'est qu'en le répandant, ils fermaient l'oreille à la voix de Moïse et des Prophètes, qui le déclaraient le Messie. Un ange vînt-il à descendre des cieux, appuyât-il ses raisonnements par des miracles, s'il prêche contre la loi de Jésus-Christ, Paul veut qu'on lui dise anathème. Ce n'est donc pas par les miracles qu'il faut juger de la mission d'un homme, mais c'est par la conformité de sa doctrine avec celle du peuple auquel il se dit envoyé, *surtout lorsque la doctrine de ce peuple est démontrée vraie.*

XLIII

Toute innovation est à craindre dans un gouvernement. La plus sainte et la plus douce des religions, le christianisme même ne s'est pas affermi sans causer quelques troubles. Les premiers enfants de l'Eglise sont sortis plus d'une fois de la modération et de la patience qui leur étaient prescrites. Qu'il me soit permis de rapporter ici quelques fragments d'un édit de l'empereur Julien; ils caractériseront à merveille le génie de ce prince philosophe et l'humeur des zélés de son temps.

« J'avais imaginé, dit Julien, que les chefs des Galiléens sentiraient combien mes procédés sont différents de ceux de mon prédécesseur, et qu'ils m'en sauraient quelque gré : ils ont souffert, sous son règne, l'exil et les prisons; et l'on a passé au fil de l'épée une multitude de ceux qu'ils appellent entre eux hérétiques... Sous le mien, on a rappelé les exilés, élargi les prisonniers et rétabli les proscrits dans la possession de leurs biens. Mais telle est l'inquiétude et la fureur de cette espèce d'hommes, que, depuis qu'ils ont perdu le privilège de se dévorer les uns les autres, de tourmenter et ceux qui sont attachés à leurs dogmes, et ceux qui suivent la religion autorisée par les lois, ils n'épargnent aucun moyen, ne laissent échapper aucune occasion d'exciter des révoltes; gens sans égard pour la vraie piété, et sans respect pour nos constitutions... Toutefois nous n'entendons pas qu'on les traîne au pied de nos autels et qu'on leur fasse violence... Quant au menu peuple, il paraît que ce sont ses chefs qui fomentent en lui l'esprit de sédition, furieux qu'ils sont des bornes que nous avons mises à leurs pouvoirs; car nous les avons bannis de nos tribunaux, et ils n'ont plus la commodité de disposer des testaments, de supplanter les héritiers légitimes et de s'emparer des successions... C'est pourquoi nous défendons à ce peuple de s'assembler en tumulte, et de cabaler chez ses prêtres séditieux... Que cet édit fasse la sûreté de nos magistrats que les mutins ont insultés plus d'une fois, et mis en danger d'être lapidés... Qu'ils se rendent paisiblement chez leurs chefs, qu'ils y prient, qu'ils s'y instruisent, et qu'ils y satisfassent au culte qu'ils en ont reçu; nous le leur permettons : mais qu'ils renoncent à tout dessein factieux... Si ces assemblées sont pour eux une occasion de révolte, ce sera à leurs risques et fortunes; je les en avertis... Peuples incrédules, vivez en paix... Et vous qui êtes demeurés fidèles à la religion de votre pays et aux dieux de vos pères, ne persécutez point des voisins, des concitoyens, dont l'ignorance est encore plus à craindre que la méchanceté n'est à blâmer... C'est par la raison et non par la violence qu'il faut ramener les hommes à la vérité. Nous vous enjoignons donc à vous tous, nos fidèles sujets, de laisser en repos les Galiléens. »

Tels étaient les sentiments de ce prince, à qui l'on peut reprocher le paganisme, mais non l'apostasie : il passa les premières années de sa vie sous différents maîtres, et dans différentes écoles; et fit, dans un âge plus avancé, un choix infortuné : il se décida malheureusement pour le culte de ses aïeux, et les dieux de son pays.

XLIV

Une chose qui m'étonne, c'est que les ouvrages de ce savant empereur soient parvenus jusqu'à nous. Ils contiennent des traits qui ne nuisent point à la vérité du christianisme, mais qui sont assez désavantageux à quelques chrétiens de son temps, pour qu'ils se sentissent de l'attention singulière que les Pères de l'Église ont eue de supprimer les ouvrages de leurs ennemis. C'est

apparemment de ces prédécesseurs que saint Grégoire le
Grand avait hérité du zèle barbare qui l'anima contre les
lettres et les arts. S'il n'eût tenu qu'à ce pontife, nous
serions dans le cas des mahométans, qui en sont réduits
pour toute lecture à celle de leur Alcoran. Car quel eût
été le sort des anciens écrivains, entre les mains d'un
homme qui solécisait par principe de religion ; qui s'ima-
ginait qu'observer les règles de la grammaire, c'était sou-
mettre Jésus-Christ à Donat, et qui se crut obligé en
conscience de combler les ruines de l'antiquité ?

XLV

Cependant, la divinité des Ecritures n'est point un
caractère si clairement empreint en elles, que l'autorité
des historiens sacrés soit absolument indépendante du
témoignage des auteurs profanes. Où en serions-nous,
s'il fallait reconnaître le doigt de Dieu dans la forme de
notre Bible ? Combien la version latine n'est-elle pas
misérable ? Les originaux mêmes ne sont pas des chefs-
d'œuvre de composition. Les prophètes, les apôtres et
les évangélistes ont écrit comme ils y entendaient. S'il
nous était permis de regarder l'histoire du peuple hébreu
comme une simple production de l'esprit humain, Moïse
et ses continuateurs ne l'emporteraient pas sur Tite-Live,
Salluste, César et Josèphe, tous gens qu'on ne soupçonne
pas assurément d'avoir écrit par inspiration. Ne préfère-
t-on pas même le jésuite Berruyer à Moïse ? On conserve
dans nos églises des tableaux qu'on nous assure avoir été
peints par des anges et par la Divinité même : si ces
morceaux étaient sortis de la main de Le Sueur ou de
Le Brun, que pourrais-je opposer à cette tradition immé-
moriale ? Rien du tout, peut-être. Mais quand j'observe
ces célestes ouvrages, et que je vois à chaque pas les règles
de la peinture violées dans le dessin et dans l'exécution,
le vrai de l'art abandonné partout, ne pouvant supposer
que l'ouvrier était un ignorant, il faut bien que j'accuse la
tradition d'être fabuleuse. Quelle application ne ferais-je
point de ces tableaux aux saintes Ecritures, si je ne
savais combien il importe peu que ce qu'elles contiennent
soit bien ou mal dit ? Les prophètes se sont piqués de
dire vrai, et non pas de bien dire. Les apôtres sont-ils
morts pour autre chose que pour la vérité de ce qu'ils
ont dit ou écrit ? Or, pour en revenir au point que je
traite, de quelle conséquence n'était-il pas de conserver

des auteurs profanes qui ne pouvaient manquer de s'accorder avec les auteurs sacrés, au moins sur l'existence et les miracles de Jésus-Christ, sur les qualités et le caractère de Ponce-Pilate, et sur les actions et le martyre des premiers chrétiens ?

XLVI

Un peuple entier, me direz-vous, est témoin de ce fait; oserez-vous le nier ? Oui, j'oserai, tant qu'il ne me sera pas confirmé par l'autorité de quelqu'un qui ne soit pas de votre parti, et que j'ignorerai que ce quelqu'un était incapable de fanatisme et de séduction. Il y a plus. Qu'un auteur d'une impartialité avouée me raconte qu'un gouffre s'est ouvert au milieu d'une ville; que les dieux consultés sur cet événement ont répondu qu'il se refermera si l'on y jette ce que l'on possède de plus précieux; qu'un brave chevalier s'y est précipité, et que l'oracle s'est accompli : je le croirai beaucoup moins que s'il eût dit simplement qu'un gouffre s'étant ouvert, on employa un temps et des travaux considérables pour le combler. Moins un fait a de vraisemblance, plus le témoignage de l'histoire perd de son poids. Je croirais sans peine un seul honnête homme qui m'annoncerait *que Sa Majesté vient de remporter une victoire complète sur les alliés;* mais tout Paris m'assurerait qu'un mort vient de ressusciter à Passy, que je n'en croirais rien. Qu'un historien nous en impose, ou que tout un peuple se trompe, ce ne sont pas des prodiges.

XLVII

Tarquin projette d'ajouter de nouveaux corps de cavalerie à ceux que Romulus avait formés. Un augure lui soutient que toute innovation dans cette milice est sacrilège, si les dieux ne l'ont autorisée. Choqué de la liberté de ce prêtre, et résolu de le confondre et de décrier en sa personne un art qui croisait son autorité, Tarquin le fait appeler sur la place publique, et lui dit : « Devin, ce que je pense est-il possible ? Si ta science est telle que tu la vantes, elle te met en état de répondre. » L'augure ne se déconcerte point, consulte les oiseaux et répond : « Oui, prince, ce que tu penses se peut faire. » Lors, Tarquin tirant un rasoir de dessous sa robe, et prenant à la main un caillou : « Approche, dit-il au devin, coupe-

moi ce caillou avec ce rasoir : car j'ai pensé que cela se
pouvait. » Navius, c'est le nom de l'augure, se tourne
vers le peuple, et dit avec assurance : « Qu'on applique
le rasoir au caillou, et qu'on me traîne au supplice, s'il
n'est divisé sur-le-champ. » L'on vit en effet, contre
toute attente, la dureté du caillou céder au tranchant du
rasoir : ses parties se séparent si promptement que le
rasoir porte sur la main de Tarquin et en tire du sang.
Le peuple étonné fait des acclamations; Tarquin renonce
à ses projets et se déclare protecteur des augures; on
enferme sous un autel le rasoir et les fragments du caillou.
On élève une statue au devin : cette statue subsistait
encore sous le règne d'Auguste; et l'antiquité profane et
sacrée nous atteste la vérité de ce fait, dans les écrits de
Lactance, de Denys d'Halicarnasse, et de saint Augustin.

Vous avez entendu l'histoire; écoutez la superstition.
« Que répondez-vous à cela ? Il faut, dit le superstitieux
Quintus à Cicéron son frère, il faut se précipiter dans un
monstrueux pyrrhonisme, traiter les peuples et les historiens de stupides, et brûler les annales ou convenir de
ce fait. Nierez-vous tout, plutôt que d'avouer que les
dieux se mêlent de nos affaires ? »

*Hoc ego philosophi non arbitror testibus uti, qui aut casu
veri aut malitia falsi fictique esse possunt. Argumentis et
rationibus oportet, quare quidque ita sit, docere, non eventis,
iis præsertim quibus mihi non liceat credere... Omitte igitur
lituum Romuli, quem in maximo incendio negas potuisse com-
buri. Contemne cotem Accii Navii. Nihil debet esse in phi-
losophia commentitiis fabellis loci. Illud erat philosophi,
totius augurii primum naturam ipsam videre, deinde Inven-
tionem, deinde Constantiam... Habent Etrusci exaratum
puerum auctorem disciplinæ suæ. Nos quem ? Acciumne
Navium ?... Placet igitur humanitatis expertes habere Divi-
nitatis auctores ?* Mais c'est la croyance des rois, des
peuples, des nations et du monde. *Quasi vere quidquam
sit tam valde, quam nihil sapere vulgare ? Aut quasi tibi ipsi
in judicando placeat multitudo.* Voilà la réponse du philosophe. Qu'on me cite un seul prodige auquel elle ne soit
pas applicable! Les Pères de l'Eglise, qui voyaient sans
doute de grands inconvénients à se servir des principes
de Cicéron, ont mieux aimé convenir de l'aventure de
Tarquin, et attribuer l'art de Navius au diable. C'est une
belle machine que le diable.

XLVIII

Tous les peuples ont de ces faits, à qui, pour être merveilleux, il ne manque que d'être vrais; avec lesquels on démontre tout, mais qu'on ne prouve point; qu'on n'ose nier sans être impie, et qu'on ne peut croire sans être imbécile.

XLIX

Romulus, frappé de la foudre ou massacré par les sénateurs, disparaît d'entre les Romains. Le peuple et le soldat en murmurent. Les ordres de l'État se soulèvent les uns contre les autres; et Rome naissante, divisée au-dedans et environnée d'ennemis au-dehors, était au bord du précipice, lorsqu'un certain Proculeius s'avance gravement et dit : « Romains, ce prince que vous regrettez n'est point mort : il est monté aux cieux, où il est assis à la droite de Jupiter. Va, m'a-t-il dit, calme tes concitoyens, annonce-leur que Romulus est entre les dieux; assure-les de ma protection; qu'ils sachent que les forces de leurs ennemis ne prévaudront jamais contre eux : le destin veut qu'ils soient un jour les maîtres du monde; qu'ils en fassent seulement passer la prédiction d'âge en âge, à leur postérité la plus reculée. » Il est des conjonctures favorables à l'imposture; et si l'on examine quel était alors l'état des affaires de Rome, on conviendra que Proculeius était homme de tête, et qu'il avait su prendre son temps. Il introduisit dans les esprits un préjugé qui ne fut pas inutile à la grandeur future de sa patrie... *Mirum est quantum illi viro, hæc nuntianti fidei fuerit; quamque desiderium Romuli apud plebem, facta fide immortalitatis, lenitum sit. Famam hanc admiratio viri et pavor præsens nobilitavit; factoque a paucis initio, Deum, Deo natum salvere universi Romulum jubent.* C'est-à-dire, que le peuple crut à cette apparition; que les sénateurs firent semblant d'y croire, et que Romulus eut des autels. Mais les choses n'en demeurèrent pas là. Bientôt ce ne fut point un simple particulier à qui Romulus s'était apparu. Il s'était montré à plus de mille personnes en un jour. Il n'avait point été frappé de la foudre, les sénateurs ne s'en étaient point défaits à la faveur d'un temps orageux, mais il s'était élevé dans les airs au milieu des éclairs et au bruit du tonnerre, à la vue de tout un peuple; et cette aventure se *calfeutra*, avec le temps, d'un si grand nombre de

pièces, que les esprits forts du siècle suivant devaient en
être fort embarrassés.

L

Une seule démonstration me frappe plus que cinquante faits. Grâce à l'extrême confiance que j'ai en ma
raison, ma foi n'est point à la merci du premier saltim-
banque. Pontife de Mahomet, redresse des boiteux; fais
parler des muets; rends la vue aux aveugles; guéris des
paralytiques; ressuscite des morts; restitue même aux
estropiés les membres qui leur manquent, miracle qu'on
n'a point encore tenté, et à ton grand étonnement ma foi
n'en sera point ébranlée. Veux-tu que je devienne ton
prosélyte ? Laisse tous ces prestiges, et raisonnons. Je
suis plus sûr de mon jugement que de mes yeux.

Si la religion que tu m'annonces est vraie, sa vérité
peut être mise en évidence et se démontrer par des raisons invincibles. Trouve-les, ces raisons. Pourquoi me
harceler par des prodiges, quand tu n'as besoin, pour me
terrasser, que d'un syllogisme ? Quoi donc! te serait-il
plus facile de redresser un boiteux que de m'éclairer ?

LI

Un homme est étendu sur la terre, sans sentiment, sans
voix, sans chaleur, sans mouvement. On le tourne, on le
retourne, on l'agite, le feu lui est appliqué, rien ne
l'émeut : le fer chaud n'en peut arracher un symptôme
de vie; on le croit mort : l'est-il ? non. C'est le pendant
du prêtre de Calame. *Qui, quando ei placebat, ad imitatas*
lamentantis hominis voces, ita se auferebat a sensibus et
jacebat simillimus mortuo, ut non solum vellicantes atque
pungentes minime sentiret, sed aliquando etiam igne ureretur
admoto, sine ullo doloris sensu, nisi postmodum ex vul-
nere, etc. (Saint Augustin, *Cité de Dieu,* Liv. XIV,
chap. XXIV.) Si certaines gens avaient rencontré, de nos
jours, un pareil sujet, ils en auraient tiré bon parti. On
nous aurait fait voir un cadavre se ranimer sur la cendre
d'un prédestiné; le recueil du magistrat janséniste se
serait enflé d'une résurrection, et le constitutionnaire se
tiendrait peut-être confondu.

LII

Il faut avouer, dit le logicien de Port-Royal, que saint Augustin a eu raison de soutenir, avec Platon, que le jugement de la vérité et la règle pour discerner n'appartiennent pas aux sens, mais à l'esprit : *non est veritatis judicium in sensibus*. Et même que cette certitude que l'on peut tirer des sens ne s'étend pas bien loin, et qu'il y a plusieurs choses que l'on croit savoir par leur entremise, et dont on n'a point une pleine assurance. Lors donc que le témoignage des sens contredit ou ne contrebalance point l'autorité de la raison, il n'y a pas à opter : en bonne logique, c'est à la raison qu'il faut s'en tenir.

LIII

Un faubourg retentit d'acclamations : la cendre d'un prédestiné y fait, en un jour, plus de prodiges que Jésus-Christ n'en fit en toute sa vie. On y court; on s'y porte; j'y suis la foule. J'arrive à peine, que j'entends crier : miracle! miracle! J'approche, je regarde, et je vois un petit boiteux qui se promène à l'aide de trois ou quatre personnes charitables qui le soutiennent; et le peuple qui s'en émerveille, de répéter : miracle! miracle! Où donc est le miracle, peuple imbécile ? Ne vois-tu pas que ce fourbe n'a fait que changer de béquilles ? Il en était, dans cette occasion, des miracles, comme il en est toujours des esprits. Je jurerais bien que tous ceux qui ont vu des esprits, les craignaient d'avance, et que tous ceux qui voyaient là des miracles, étaient bien résolus d'en voir.

LIV

Nous avons toutefois, de ces miracles prétendus, un vaste recueil qui peut braver l'incrédulité la plus déterminée. L'auteur est un sénateur, un homme grave qui faisait profession d'un matérialisme assez mal entendu, à la vérité, mais qui n'attendait pas sa fortune de sa conversion : témoin oculaire des faits qu'il raconte, et dont il a pu juger sans prévention et sans intérêt, son témoignage est accompagné de mille autres. Tous disent qu'ils ont vu, et leur déposition a toute l'authenticité possible : les actes originaux en sont conservés dans les archives publiques. Que répondre à cela ? Que répondre ?

que ces miracles ne prouvent rien, tant que la question de ses sentiments ne sera point décidée.

LV

Tout raisonnement qui prouve pour deux partis ne prouve ni pour l'un ni pour l'autre. Si le fanatisme a ses martyrs, ainsi que la vraie religion, et si, entre ceux qui sont morts pour la vraie religion, il y a eu des fanatiques ; ou comptons, si nous le pouvons, le nombre des morts, et croyons, ou cherchons d'autres motifs de crédibilité.

LVI

Rien n'est plus capable d'affermir dans l'irréligion que de faux motifs de conversion. On dit tous les jours à des incrédules : Qui êtes-vous, pour attaquer une religion que les Paul, les Tertullien, les Athanase, les Chrysostome, les Augustin, les Cyprien, et tant d'autres illustres personnages ont si courageusement défendue ? Vous avez sans doute aperçu quelque difficulté qui avait échappée à ces génies supérieurs ; montrez-nous donc que vous en savez plus qu'eux ; ou sacrifiez vos doutes à leurs décisions, si vous convenez qu'ils en savaient plus que vous. Raisonnement frivole. Les lumières des ministres ne sont point une preuve de la vérité d'une religion. Quel culte plus absurde que celui des Egyptiens, et quels ministres plus éclairés ?... Non, je ne peux adorer cet oignon. Quel privilège a-t-il sur les autres légumes ? Je serais bien fou de prostituer mon hommage à des êtres destinés à ma nourriture ! La plaisante divinité qu'une plante que j'arrose, qui croît et meurt dans mon potager !... « Tais-toi, misérable, tes blasphèmes me font frémir : c'est bien à toi à raisonner ! En sais-tu là-dessus plus que le sacré collège ? Qui es-tu, pour attaquer tes dieux, et donner des leçons de sagesse à leurs ministres ? Es-tu plus éclairé que ces oracles que l'univers entier vient interroger ? Quelle que soit ta réponse, j'admirerai ton orgueil ou ta témérité... » Les chrétiens ne sentiront-ils jamais toute leur force, et n'abandonneront-ils point ces malheureux sophismes à ceux dont ils sont l'unique ressource ? *Omittamus ista communia quæ ex utraque parte dici possunt, quanquam vere ex utraque parte dici non possint* (saint Augustin). L'exemple, les prodiges, et

l'autorité peuvent faire des dupes ou des hypocrites : la
raison seule fait des croyants.

LVII

On convient qu'il est de la dernière importance de
n'employer à la défense d'un culte que des raisons solides;
cependant on persécuterait volontiers ceux qui travaillent
à décrier les mauvaises. Quoi donc! n'est-ce pas assez
que l'on soit chrétien ? Faut-il encore l'être par de mauvaises raisons ? Dévots, je vous en avertis; je ne suis pas
chrétien parce que saint Augustin l'était; mais je le suis,
parce qu'il est raisonnable de l'être.

LVIII

Je connais les dévots; ils sont prompts à prendre
l'alarme. S'ils jugent une fois que cet écrit contient
quelque chose de contraire à leurs idées, je m'attends à
toutes les calomnies qu'ils ont répandues sur le compte
de mille gens qui valaient mieux que moi. Si je ne suis
qu'un déiste et qu'un scélérat, j'en serai quitte à bon
marché. Il y a longtemps qu'ils ont damné Descartes,
Montaigne, Locke et Bayle; et j'espère qu'ils en damne-
ront bien d'autres. Je leur déclare cependant que je ne
me pique d'être ni plus honnête homme, ni meilleur
chrétien que la plupart de ces philosophes. Je suis né
dans l'Eglise catholique, apostolique et romaine; et je me
soumets de toute ma force à ses décisions. Je veux mourir
dans la religion de mes pères, et je la crois bonne autant
qu'il est possible à quiconque n'a jamais eu aucun commerce immédiat avec la Divinité, et qui n'a jamais été
témoin d'aucun miracle. Voilà ma profession de foi; je
suis presque sûr qu'ils en seront mécontents, bien qu'il
n'y en ait peut-être pas un entre eux qui soit en état
d'en faire une meilleure.

LIX

J'ai lu quelquefois Abbadie, Huet, et les autres. Je
connais suffisamment les preuves de ma religion, et je
conviens qu'elles sont grandes; mais le seraient-elles
cent fois davantage, le christianisme ne me serait point
encore démontré. Pourquoi donc exiger de moi que je
croie qu'il y a trois personnes en Dieu, aussi fermement

que je crois que les trois angles d'un triangle sont égaux
à deux droits ? Toute preuve doit produire en moi une
certitude proportionnée à son degré de force ; et l'action
des démonstrations géométriques, morales et physiques,
sur mon esprit, doit être différente, ou cette distinction
est frivole.

LX

Vous présentez à un incrédule un volume d'écrits dont
vous prétendez lui démontrer la divinité. Mais avant que
d'entrer dans l'examen de vos preuves, il ne manquera
pas de vous questionner sur cette collection. A-t-elle
toujours été la même ? vous demandera-t-il. Pourquoi
est-elle à présent moins ample qu'elle ne l'était il y a
quelques siècles ? De quel droit en a-t-on banni tel et
tel ouvrage, qu'une autre secte révère, et conservé tel et
tel autre qu'elle a rejeté ? Sur quel fondement avez-vous
donné la préférence à ce manuscrit ? Qui vous a dirigés
dans le choix que vous avez fait entre tant de copies
différentes, qui sont des preuves évidentes que ces sacrés
auteurs ne vous ont pas été transmis dans leur pureté
originale et première ? Mais si l'ignorance des copistes,
ou la malice des hérétiques les a corrompus, comme il
faut que vous en conveniez, vous voilà forcés de les
restituer dans leur état naturel, avant que d'en prouver
la divinité ; car ce n'est pas sur un recueil d'écrits mutilés
que tomberont vos preuves, et que j'établirai ma croyance.
Or qui chargerez-vous de cette réforme ? l'Eglise. Mais
je ne peux convenir de l'infaillibilité de l'Eglise, que la
divinité des Ecritures ne me soit prouvée. Me voilà donc
dans un scepticisme nécessité.

On ne répond à cette difficulté qu'en avouant que les
premiers fondements de la foi sont purement humains ;
que le choix entre les manuscrits, que la restitution des
passages, enfin que la collection s'est faite par des règles
de critique ; et je ne refuse point d'ajouter à la divinité
des livres sacrés un degré de foi proportionné à la certitude de ces règles.

LXI

C'est en cherchant des preuves que j'ai trouvé des
difficultés. Les livres qui contiennent les motifs de ma
croyance m'offrent en même temps les raisons de l'incré-

dulité. Ce sont des arsenaux communs. Là, j'ai vu le déiste s'armer contre l'athée; le déiste et l'athée lutter contre le juif; l'athée, le déiste et le juif se liguer contre le chrétien; le chrétien, le juif, le déiste et l'athée se mettre aux prises avec le musulman; l'athée, le déiste, le juif, le musulman, et la multitude des sectes du christianisme fondre sur le chrétien, et le sceptique seul contre tous. J'étais juge des coups. Je tenais la balance entre les combattants; ses bras s'élevaient ou s'abaissaient en raison des poids dont ils étaient chargés. Après de longues oscillations, elle pencha du côté du chrétien, mais avec le seul excès de sa pesanteur, sur la résistance du côté opposé. Je me suis témoin à moi-même de mon équité. Il n'a pas tenu à moi que cet excès m'ait paru fort grand. J'atteste Dieu de ma sincérité.

LXII

Cette diversité d'opinions a fait imaginer aux déistes un raisonnement plus singulier peut-être que solide. Cicéron ayant à prouver que les Romains étaient le peuple le plus belliqueux de la terre, tire adroitement cet aveu de la bouche de leurs rivaux. Gaulois, à qui le cédez-vous en courage, si vous le cédez à quelqu'un? aux Romains. Parthes, après vous, quels sont les hommes les plus courageux? les Romains. Africains, qui redouteriez-vous, si vous aviez à redouter quelqu'un? les Romains. Interrogeons, à son exemple, le reste des religionnaires, vous disent les déistes. Chinois, quelle religion serait la meilleure si ce n'était la vôtre? la religion naturelle. Musulmans, quel culte embrasseriez-vous, si vous abjuriez Mahomet? le naturalisme. Chrétiens, quelle est la vraie religion, si ce n'est la chrétienne? la religion des juifs. Mais vous, juifs, quelle est la vraie religion, si le judaïsme est faux? le naturalisme. Or ceux, continue Cicéron, à qui l'on accorde la seconde place d'un consentement unanime, et qui ne cèdent la première à personne, méritent incontestablement celle-ci.

ADDITION AUX PENSÉES PHILOSOPHIQUES

OU

OBJECTIONS DIVERSES CONTRE LES ÉCRITS
DE DIFFÉRENTS THÉOLOGIENS

I

Les doutes, en matière de religion, loin d'être des actes d'impiété, doivent être regardés comme des bonnes œuvres, lorsqu'ils sont d'un homme qui reconnaît humblement son ignorance, et qu'ils naissent de la crainte de déplaire à Dieu par l'abus de la raison.

II

Admettre quelque conformité entre la raison de l'homme et la raison éternelle, qui est Dieu, et prétendre que Dieu exige le sacrifice de la raison humaine, c'est établir qu'il veut et ne veut pas tout à la fois.

III

Lorsque Dieu dont nous tenons la raison en exige le sacrifice, c'est un faiseur de tours de gibecière qui escamote ce qu'il a donné.

IV

Si je renonce à ma raison, je n'ai plus de guide : il faut que j'adopte en aveugle un principe secondaire, et que je suppose ce qui est en question.

V

Si la raison est un don du ciel, et que l'on en puisse dire autant de la foi, le ciel nous a fait deux présents incompatibles et contradictoires.

VI

Pour lever cette difficulté, il faut dire que la foi est un principe chimérique, et qui n'existe pas dans la nature.

VII

Pascal, Nicole, et autres ont dit : « Qu'un Dieu punisse de peines éternelles la faute d'un père coupable sur tous ses enfants innocents, c'est une proposition supérieure et non contraire à la raison. » Mais qu'est-ce donc qu'une proposition contraire à la raison, si celle qui énonce évidemment un blasphème ne l'est pas ?

VIII

Egaré dans une forêt immense pendant la nuit, je n'ai qu'une petite lumière pour me conduire. Survient un inconnu qui me dit : *Mon ami, souffle la chandelle pour mieux trouver ton chemin.* Cet inconnu est un théologien.

IX

Si ma raison vient d'en haut, c'est la voix du ciel qui me parle par elle ; il faut que je l'écoute.

X

Le mérite et le démérite ne peuvent s'appliquer à l'usage de la raison, parce que toute la bonne volonté du monde ne peut servir à un aveugle pour discerner des couleurs. Je suis forcé d'apercevoir l'évidence où elle est, et le défaut d'évidence où l'évidence n'est pas, à moins que je ne sois un imbécile ; or l'imbécillité est un malheur et non pas un vice.

XI

L'auteur de la nature, qui ne me récompensera pas pour avoir été un homme d'esprit, ne me damnera pas pour avoir été un sot.

XII

Et il ne te damnera pas même pour avoir été un

méchant. Quoi donc! n'as-tu pas déjà été assez malheureux d'avoir été méchant?

XIII

Toute action vertueuse est accompagnée de satisfaction intérieure; toute action criminelle, de remords; or l'esprit avoue, sans honte et sans remords, sa répugnance pour telles et telles propositions; il n'y a donc ni vertu ni crime, soit à les croire, soit à les rejeter.

XIV

S'il faut encore une grâce pour bien faire, à quoi a servi la mort de Jésus-Christ?

XV

S'il y a cent mille damnés pour un sauvé, le diable a toujours l'avantage, sans avoir abandonné son fils à la mort.

XVI

Le Dieu des chrétiens est un père qui fait grand cas de ses pommes, et fort peu de ses enfants.

XVII

Otez la crainte de l'enfer à un chrétien, et vous lui ôterez sa croyance.

XVIII

Une religion vraie, intéressant tous les hommes dans tous les temps et dans tous les lieux, a dû être éternelle, universelle et évidente; aucune n'a ces trois caractères. Toutes sont donc trois fois démontrées fausses.

XIX

Les faits dont quelques hommes seulement peuvent être témoins sont insuffisants pour démontrer une religion qui doit être également crue par tout le monde.

XX

Les faits dont on appuie les religions sont anciens et merveilleux, c'est-à-dire les plus suspects qu'il est possible, pour prouver la chose la plus incroyable.

XXI

Prouver l'Evangile par un miracle, c'est prouver une absurdité par une chose contre nature.

XXII

Mais que fera Dieu à ceux qui n'ont pas entendu parler de son fils ? Punira-t-il des sourds de n'avoir pas entendu ?

XXIII

Que fera-t-il à ceux qui, ayant entendu parler de sa religion, n'ont pu la concevoir ? Punira-t-il des pygmées de n'avoir pas su marcher à pas de géant ?

XXIV

Pourquoi les miracles de Jésus-Christ sont-ils vrais, et ceux d'Esculape, d'Apollonius de Tyane et de Mahomet sont-ils faux ?

XXV

Mais tous les Juifs qui étaient à Jérusalem ont apparemment été convertis à la vue des miracles de Jésus-Christ ? Aucunement. Loin de croire en lui, ils l'ont crucifié. Il faut convenir que ces Juifs sont des hommes comme il n'y en a point; partout on a vu les peuples entraînés par un seul faux miracle, et Jésus-Christ n'a pu rien faire du peuple juif avec une infinité de miracles vrais.

XXVI

C'est ce miracle-là d'incrédulité des Juifs qu'il faut faire valoir, et non celui de sa résurrection.

XXVII

Il est aussi sûr que deux et deux font quatre, que César a existé; il est aussi sûr que Jésus-Christ a existé que César. Donc il est aussi sûr que Jésus-Christ a ressuscité, que lui ou César a existé. Oh que nenni! L'existence de Jésus-Christ et de César n'est pas un miracle.

XXVIII

On lit dans la *Vie de M. de Turenne*, que le feu ayant pris dans une maison, la présence du Saint-Sacrement arrêta subitement l'incendie. D'accord. Mais on lit aussi dans l'histoire, qu'un moine ayant empoisonné une hostie consacrée, un empereur d'Allemagne ne l'eût pas plus tôt avalée qu'il en mourut.

XXIX

Il y avait là autre chose que les apparences du pain et du vin, ou il faut dire que le poison s'était incorporé au corps et au sang de Jésus-Christ.

XXX

Ce corps se moisit, ce sang s'aigrit. Ce Dieu est dévoré par les mites sur son autel. Peuple aveugle, Egyptien imbécile, ouvre donc les yeux!

XXXI

La religion de Jésus-Christ, annoncée par des ignorants, a fait les premiers chrétiens. La même religion, prêchée par des savants et des docteurs, ne fait aujourd'hui que des incrédules.

XXXII

On objecte que la soumission à une autorité législative dispense de raisonner. Mais où est la religion, sur la surface de la terre, sans une pareille autorité?

XXXIII

C'est l'éducation de l'enfance qui empêche un mahométan de se faire baptiser; c'est l'éducation de l'enfance qui empêche un chrétien de se faire circoncire; c'est la raison de l'homme fait qui méprise également le baptême et la circoncision.

XXXIV

Il est dit dans saint Luc, que Dieu le père est plus grand que Dieu le fils, *pater major me est*. Cependant, au mépris d'un passage aussi formel, l'Eglise prononce anathème au fidèle scrupuleux qui s'en tient littéralement aux mots du testament de son père.

XXXV

Si l'autorité a pu disposer à son gré du sens de ce passage, comme il n'y en a pas un dans toutes les Ecritures qui soit plus précis, il n'y en a pas un qu'on puisse se flatter de bien entendre, et dont l'Eglise ne fasse dans l'avenir tout ce qu'il lui plaira.

XXXVI

Tu es Petrus, et super hanc petram ædificabo ecclesiam meam. Est-ce là le langage d'un Dieu, ou une *bigarrure* digne *du Seigneur des Accords ?*

XXXVII

In dolore paries (Genèse). Tu engendreras dans la douleur, dit Dieu à la femme prévaricatrice. Et que lui avaient fait les femelles des animaux, qui engendrent aussi dans la douleur ?

XXXVIII

S'il faut entendre à la lettre, *pater major me est*, Jésus-Christ n'est pas dieu. S'il faut entendre à la lettre, *hoc est corpus meum*, il se donnait à ses apôtres de ses propres mains; ce qui est aussi absurde que de dire que saint Denis baisa sa tête après qu'on la lui eut coupée.

XXXIX

Il est dit qu'il se retira sur le mont des Oliviers, et qu'il pria. Et qui pria-t-il ? il se pria lui-même.

XL

Ce Dieu, qui fait mourir Dieu pour apaiser Dieu, est un mot excellent de la Hontan. Il résulte moins d'évidence de cent volumes *in-folio*, écrits pour ou contre le christianisme, que de ridicule de ces deux lignes.

XLI

Dire que l'homme est un composé de force et de faiblesse, de lumière et d'aveuglement, de petitesse et de grandeur, ce n'est pas lui faire son procès, c'est le définir.

XLII

L'homme est comme Dieu ou la nature l'a fait; et Dieu et la nature ne font rien de mal.

XLIII

Ce que nous appelons le péché originel, Ninon de l'Enclos l'appelait le péché *original*.

XLIV

C'est une imprudence sans exemple que de citer la conformité des Évangélistes, tandis qu'il y a dans les uns des faits qui ne sont pas dans les autres.

XLV

Platon considérait la Divinité sous trois aspects, la bonté, la sagesse et la puissance. Il faut se fermer les yeux pour ne pas voir là la Trinité des chrétiens. Il y avait près de trois mille ans que le philosophe d'Athènes appelait *Logos* (λόγος) ce que nous appelons le Verbe.

XLVI

Les personnes divines sont, ou trois accidents, ou trois substances. Point de milieu. Si ce sont trois accidents, nous sommes athées ou déistes. Si ce sont trois substances, nous sommes païens.

XLVII

Dieu le père juge les hommes dignes de sa vengeance éternelle; Dieu le fils les juge dignes de sa miséricorde infinie; le Saint-Esprit reste neutre. Comment accorder ce verbiage catholique avec l'unité de la volonté divine ?

XLVIII

Il y a longtemps qu'on a demandé aux théologiens d'accorder le dogme des peines éternelles avec la miséricorde infinie de Dieu; et ils en sont encore là.

XLIX

Et pourquoi punir un coupable, quand il n'y a plus aucun bien à tirer de son châtiment ?

L

Si l'on punit pour soi seul, on est bien cruel et bien méchant.

LI

Il n'y a point de bon père qui voulût ressembler à notre père céleste.

LII

Quelle proportion entre l'offenseur et l'offensé ? quelle proportion entre l'offense et le châtiment ? Amas de bêtises et d'atrocités !

LIII

Et de quoi se courrouce-t-il si fort, ce Dieu ? Et ne dirait-on pas que je puisse quelque chose pour ou contre sa gloire, pour ou contre son repos, pour on contre son bonheur ?

LIV

On veut que Dieu fasse brûler le méchant, qui ne peut rien contre lui, dans un feu qui durera sans fin; et on permettrait à peine à un père de donner une mort passagère à un fils qui compromettrait sa vie, son honneur et sa fortune!

LV

O chrétiens! vous avez donc deux idées différentes de la bonté et de la méchanceté, de la vérité et du mensonge. Vous êtes donc les plus absurdes des dogmatistes, ou les plus outrés des pyrrhoniens.

LVI

Il n'y a que celui qui pourrait commettre tout le mal possible qui pourrait aussi mériter un châtiment éternel. Pour faire de Dieu un être infiniment vindicatif, vous transformez un ver de la terre en un être infiniment puissant. Tout le mal dont on est capable n'est pas tout le mal possible.

LVII

A entendre un théologien exagérer l'action d'un homme que Dieu fit paillard, et qui a couché avec sa voisine, que Dieu fit complaisante et jolie, ne dirait-on pas que le feu ait été mis aux quatre coins de l'univers ? Eh! mon ami, écoute Marc Aurèle, et tu verras que tu courrouces ton Dieu pour le frottement illicite et voluptueux de deux intestins.

LVIII

Ce que les atroces chrétiens ont traduit par *éternel* ne signifie, en hébreu, que *durable*. C'est de l'ignorance d'un hébraïsme, et de l'humeur féroce d'un interprète, que vient le dogme de l'éternité des peines.

LIX

Pascal a dit : « Si votre religion est fausse, vous ne risquez rien à la croire vraie ; si elle est vraie, vous risquez tout à la croire fausse. » Un iman en peut dire tout autant que Pascal.

LX

Que Jésus-Christ qui est Dieu ait été tenté par le diable, c'est un conte digne des *Mille et Une Nuits*.

LXI

Je voudrais bien qu'un chrétien, qu'un janséniste surtout, me fît sentir le *cui bono* de l'incarnation. Encore ne faudrait-il pas enfler à l'infini le nombre des damnés si l'on veut tirer quelque parti de ce dogme.

LXII

Une jeune fille vivait fort retirée : un jour elle reçut la visite d'un jeune homme qui portait un oiseau ; elle devint grosse : et l'on demande qui est-ce qui a fait l'enfant ? Belle question ! c'est l'oiseau.

LXIII

Mais pourquoi est-ce que le cygne de Léda et les petites flammes de Castor et Pollux nous font rire, et que nous ne rions pas de la colombe et des langues de feu de l'Evangile ?

LXIV

Il y avait, dans les premiers siècles, soixante Evangiles presque également crus. On en a rejeté cinquante-six pour raison de puérilité et d'ineptie. Ne reste-t-il rien de cela dans ceux qu'on a conservés ?

LXV

Dieu donne une première loi aux hommes ; il abolit ensuite cette loi. Cette conduite n'est-elle pas un peu d'un législateur qui s'est trompé, et qui le reconnaît avec le temps ? Est-ce qu'il est d'un être parfait de se raviser ?

LXVI ·

Il y a autant d'espèces de foi qu'il y a de[s] religions au monde.

LXVII

Tous les sectaires du monde ne sont que des déistes hérétiques.

LXVIII

Si l'homme est malheureux sans être né coupable, ne serait-ce pas qu'il est destiné à jouir d'un bonheur éternel, sans pouvoir, par sa nature, s'en rendre jamais digne ?

LXIX

Voilà ce que je pense du dogme chrétien : je ne dirai qu'un mot de sa morale. C'est que, pour un catholique père de famille, convaincu qu'il faut pratiquer à la lettre les maximes de l'Evangile sous peine de ce qu'on appelle l'enfer, attendu l'extrême difficulté d'atteindre à ce degré de perfection que la faiblesse humaine ne comporte point, je ne vois d'autre parti que de prendre son enfant par un pied, et que de l'écacher contre la terre, ou que de l'étouffer en naissant. Par cette action il le sauve du péril de la damnation, et lui assure une félicité éternelle; et je soutiens que cette action, loin d'être criminelle, doit passer pour infiniment louable, puisqu'elle est fondée sur le motif de l'amour paternel, qui exige que tout bon père fasse pour ses enfants tout le bien possible.

LXX

Le précepte de la religion et la loi de la société, qui défendent le meurtre des innocents, ne sont-ils pas, en effet, bien absurdes et bien cruels, lorsqu'en les tuant on leur assure un bonheur infini, et qu'en les laissant vivre on les dévoue, presque sûrement, à un malheur éternel ?

LXXI

Comment, monsieur de la Condamine! il sera permis d'inoculer son fils pour le garantir de la petite vérole, et il ne sera pas permis de le tuer pour le garantir de l'enfer ? Vous vous moquez.

LXXII

Satis triumphat veritas si apud paucos, eosque bonos,
accepta sit; nec ejus indoles placere multis.

[Nous plaçons ici, à la suite d'Assézat-Tourneux,
deux Pensées relevées sur les manuscrits de Diderot à la
bibliothèque de l'Ermitage. Elles se rapportent exactement à ce qui précède, et l'une d'elle, la seconde, porte
en tête l'indication : *Pensée philosophique*.]

Anciennement, dans l'île de Ternate, il n'était permis
à qui que ce soit, pas même aux prêtres, de parler de
religion. Il n'y avait qu'un seul temple; une loi expresse
défendait qu'il y en eût deux. On n'y voyait ni autel, ni
statues, ni images. Cent prêtres, qui jouissaient d'un
revenu considérable, desservaient ce temple. Ils ne chan-
taient ni ne parlaient, mais dans un énorme silence ils
montraient avec le doigt une pyramide sur laquelle étaient
écrits ces mots : *Mortels, adorez Dieu, aimez vos frères*
et rendez-vous utiles à la patrie.

Un homme avait été trahi par ses enfants, par sa femme
et par ses amis; des associés infidèles avaient renversé sa
fortune et l'avaient plongé dans la misère. Pénétré d'une
haine et d'un mépris profond pour l'espèce humaine, il
quitta la société et se réfugia seul dans une caverne. Là,
les poings appuyés sur les yeux, et méditant une vengeance proportionnée à son ressentiment, il disait : « Les
pervers! Que ferai-je pour les punir de leurs injustices,
et les rendre tous aussi malheureux qu'ils le méritent ?
Ah! s'il était possible d'imaginer... de les entêter d'une
grande chimère à laquelle ils missent plus d'importance
qu'à leur vie, et sur laquelle ils ne pussent jamais s'entendre!... » A l'instant il s'élance de la caverne en criant :
« Dieu! Dieu!... » Des échos sans nombre répètent autour
de lui : « Dieu! Dieu! » Ce nom redoutable est porté
d'un pôle à l'autre et partout écouté avec étonnement.
D'abord les hommes se prosternent, ensuite ils se
relèvent, s'interrogent, disputent, s'aigrissent, s'anathé-

matisent, se haïssent, s'entr'égorgent, et le souhait fatal du misanthrope est accompli. Car telle a été dans le temps passé, et telle sera dans le temps à venir, l'histoire d'un être toujours également important et incompréhensible.

LETTRE SUR LES AVEUGLES
A L'USAGE DE CEUX QUI VOIENT

Possunt, nec posse videntur.

Je me doutais bien, madame, que l'aveugle-née, à qui M. de Réaumur vient de faire abattre la cataracte, ne vous apprendrait pas ce que vous vouliez savoir ; mais je n'avais garde de deviner que ce ne serait ni sa faute, ni la vôtre. J'ai sollicité son bienfaiteur par moi-même, par ses meilleurs amis, par les compliments que je lui ai faits ; nous n'en avons rien obtenu, et le premier appareil se lèvera sans vous. Des personnes de la première distinction ont eu l'honneur de partager son refus avec les philosophes ; en un mot, il n'a voulu laisser tomber le voile que devant quelques yeux sans conséquence. Si vous êtes curieuse de savoir pourquoi cet habile académicien fait si secrètement des expériences qui ne peuvent avoir, selon vous, un trop grand nombre de témoins éclairés, je vous répondrai que les observations d'un homme aussi célèbre ont moins besoin de spectateurs, quand elles se font, que d'auditeurs, quand elles sont faites. Je suis donc revenu, madame, à mon premier dessein ; et, forcé de me passer d'une expérience où je ne voyais guère à gagner pour mon instruction ni pour la vôtre, mais dont M. de Réaumur tirera sans doute un bien meilleur parti, je me suis mis à philosopher avec mes amis sur la matière importante qu'elle a pour objet. Que je serais heureux, si le récit d'un de nos entretiens pouvait me tenir lieu, auprès de vous, du spectacle que je vous avais trop légèrement promis !

Le jour même que le Prussien faisait l'opération de la cataracte à la fille de Simoneau, nous allâmes interroger l'aveugle-né du Puiseaux : c'est un homme qui ne manque pas de bon sens; que beaucoup de personnes connaissent; qui sait un peu de chimie, et qui a suivi, avec quelque succès, les cours de botanique au Jardin du Roi. Il est né d'un père qui a professé avec applaudissement la philosophie dans l'université de Paris. Il jouissait d'une fortune honnête, avec laquelle il eût aisément satisfait les sens qui lui restent; mais le goût du plaisir l'entraîna dans sa jeunesse : on abusa de ses penchants; ses affaires domestiques se dérangèrent, et il s'est retiré dans une petite ville de province, d'où il fait tous les ans un voyage à Paris. Il y apporte des liqueurs qu'il distille, et dont on est très content. Voilà, madame, des circonstances assez peu philosophiques; mais, par cette raison même, plus propres à vous faire juger que le personnage dont je vous entretiens n'est point imaginaire.

Nous arrivâmes chez notre aveugle sur les cinq heures du soir, et nous le trouvâmes occupé à faire lire son fils avec des caractères en relief : il n'y avait pas plus d'une heure qu'il était levé; car vous saurez que la journée commence pour lui quand elle finit pour nous. Sa coutume est de vaquer à ses affaires domestiques, et de travailler pendant que les autres reposent. A minuit, rien ne le gêne; et il n'est incommode à personne. Son premier soin est de mettre en place tout ce qu'on a déplacé pendant le jour; et quand sa femme s'éveille, elle trouve ordinairement la maison rangée. La difficulté qu'ont les aveugles à recouvrer les choses égarées les rend amis de l'ordre; et je me suis aperçu que ceux qui les approchaient familièrement partageaient cette qualité, soit par un effet du bon exemple qu'ils donnent, soit par un sentiment d'humanité qu'on a pour eux. Que les aveugles seraient malheureux, sans les petites attentions de ceux qui les environnent! Nous-mêmes, que nous serions à plaindre sans elles! Les grands services sont comme de grosses pièces d'or ou d'argent qu'on a rarement occasion d'employer; mais les petites attentions sont une monnaie courante qu'on a toujours à la main.

Notre aveugle juge fort bien des symétries. La symétrie, qui est peut-être une affaire de pure convention entre nous, est certainement telle, à beaucoup d'égards, entre un aveugle et ceux qui voient. A force d'étudier par le tact la disposition que nous exigeons entre les parties qui composent un tout, pour l'appeler beau, un aveugle parvient à faire une juste application de ce terme. Mais quand il dit : *cela est beau*, il ne juge pas; il rapporte seulement le jugement de ceux qui voient : et que font autre chose les trois quarts de ceux qui décident d'une pièce de théâtre, après l'avoir entendue, ou d'un livre, après l'avoir lu ? La beauté, pour un aveugle, n'est qu'un mot, quand elle est séparée de l'utilité ; et avec un organe de moins, combien de choses dont l'utilité lui échappe! Les aveugles ne sont-ils pas bien à plaindre de n'estimer beau que ce qui est bon ? Combien de choses admirables perdues pour eux! Le seul bien qui les dédommage de cette perte, c'est d'avoir des idées du beau, à la vérité moins étendues, mais plus nettes que des philosophes clairvoyants qui en ont traité fort au long.

Le nôtre parle de miroir à tout moment. Vous croyez bien qu'il ne sait ce que veut dire le mot miroir; cependant il ne mettra jamais une glace à contre-jour. Il s'exprime aussi sensément que nous sur les qualités et les défauts de l'organe qui lui manque : s'il n'attache aucune idée aux termes qu'il emploie, il a du moins sur la plupart des autres hommes l'avantage de ne les prononcer jamais mal à propos. Il discourt si bien et si juste de tant de choses qui lui sont absolument inconnues, que son commerce ôterait beaucoup de force à cette induction que nous faisons tous, sans savoir pourquoi, de ce qui se passe en nous à ce qui se passe au-dedans des autres.

Je lui demandai ce qu'il entendait par un miroir : « Une machine, me répondit-il, qui met les choses en relief loin d'elles-mêmes, si elles se trouvent placées convenablement par rapport à elle. C'est comme ma main, qu'il ne faut pas que je pose à côté d'un objet pour le sentir. » Descartes, aveugle-né, aurait dû, ce me semble, s'applaudir d'une pareille définition. En effet, considérez, je vous prie, la finesse avec laquelle il a fallu combiner certaines idées pour y parvenir. Notre aveugle n'a de connaissance des objets que par le toucher. Il sait, sur le rapport des autres hommes, que par le moyen de la vue on connaît les objets, comme ils lui sont connus par le toucher; du moins, c'est la seule notion qu'il s'en puisse former. Il sait, de plus, qu'on ne peut voir son propre visage, quoiqu'on puisse le toucher. La vue, doit-il conclure, est donc une espèce de toucher qui ne s'étend que sur les objets différents de notre visage, et éloignés de nous. D'ailleurs, le toucher ne lui donne l'idée que du relief. Donc, ajoute-t-il, un miroir est une machine qui nous met en relief hors de nous-mêmes. Combien de philosophes renommés ont employé moins

de subtilité, pour arriver à des notions aussi fausses! mais
combien un miroir doit-il être surprenant pour notre
aveugle! combien son étonnement dut-il augmenter,
quand nous lui apprîmes qu'il y a de ces sortes de
machines qui agrandissent les objets; qu'il y en a d'autres
qui, sans les doubler, les déplacent, les rapprochent, les
éloignent, les font apercevoir, en dévoilent les plus petites
parties aux yeux des naturalistes; qu'il y en a qui les
multiplient par milliers, qu'il y en a enfin qui paraissent
les défigurer totalement. Il nous fit cent questions bizarres
sur ces phénomènes. Il nous demanda, par exemple, s'il
n'y avait que ceux qu'on appelle naturalistes, qui vissent
avec le microscope; et si les astronomes étaient les seuls
qui vissent avec le télescope; si la machine qui grossit les
objets était plus grosse que celle qui les rapetisse; si celle
qui les rapproche était plus courte que celle qui les
éloigne; et ne comprenant point comment cet autre nous-
même que, selon lui, le miroir répète en relief, échappe
au sens du toucher : « Voilà, disait-il, deux sens qu'une
petite machine met en contradiction : une machine plus
parfaite les mettrait peut-être d'accord, sans que, pour
cela, les objets en fussent plus réels; peut-être une troisième plus parfaite encore, et moins perfide, les ferait
disparaître, et nous avertirait de l'erreur. »

Et qu'est-ce, à votre avis, que des yeux ? lui dit M. de...
« C'est, lui répondit l'aveugle, un organe, sur lequel l'air
fait l'effet de mon bâton sur ma main. » Cette réponse
nous fit tomber des nues; et tandis que nous nous entre-
regardions avec admiration : « Cela est si vrai, continua-
t-il, que quand je place ma main entre vos yeux et un
objet, ma main vous est présente, mais l'objet vous est
absent. La même chose m'arrive, quand je cherche une
chose avec mon bâton, et que j'en rencontre une autre. »

Madame, ouvrez la *Dioptrique* de Descartes, et vous y
verrez les phénomènes de la vue rapportés à ceux du
toucher, et des planches d'optique pleines de figures
d'hommes occupés à voir avec des bâtons. Descartes, et
tous ceux qui sont venus depuis, n'ont pu nous donner
d'idées plus nettes de la vision; et ce grand philosophe
n'a point eu à cet égard plus d'avantage sur notre aveugle
que le peuple qui a des yeux.

Aucun de nous ne s'avisa de l'interroger sur la peinture et sur l'écriture : mais il est évident qu'il n'y a point
de questions auxquelles sa comparaison n'eût pu satisfaire; et je ne doute nullement qu'il ne nous eût dit que

tenter de lire ou de voir sans avoir des yeux, c'était chercher une épingle avec un gros bâton. Nous lui parlâmes
seulement de ces sortes de perspectives qui donnent du
relief aux objets et qui ont avec nos miroirs tant d'analo-
gie et tant de différence à la fois ; et nous nous aperçûmes
qu'elles nuisaient autant qu'elles concouraient à l'idée
qu'il s'est formée d'une glace, et qu'il était tenté de
croire que, la glace peignant les objets, le peintre, pour
les représenter, peignait peut-être une glace.

Nous lui vîmes enfiler des aiguilles fort menues. Pourrait-on, madame, vous prier de suspendre ici votre lecture, et de chercher comment vous vous y prendriez à
sa place ? En cas que vous ne rencontriez aucun expé-
dient, je vais vous dire celui de notre aveugle. Il dispose
l'ouverture de l'aiguille transversalement entre ses lèvres,
et dans la même direction que celle de sa bouche ; puis,
à l'aide de sa langue et de la succion, il attire le fil qui
suit son haleine, à moins qu'il ne soit beaucoup trop gros
pour l'ouverture ; mais, dans ce cas, celui qui voit n'est
guère moins embarrassé que celui qui est privé de la
vue.

Il a la mémoire des sons à un degré surprenant ; et les
visages ne nous offrent pas une diversité plus grande que
celle qu'il observe dans les voix. Elles ont pour lui une
infinité de nuances délicates qui nous échappent, parce
que nous n'avons pas, à les observer, le même intérêt
que l'aveugle. Il en est pour nous de ces nuances comme
de notre propre visage. De tous les hommes que nous
avons vus, celui que nous nous rappellerions le moins,
c'est nous-même. Nous n'étudions les visages que pour
reconnaître les personnes ; et si nous ne retenons pas la
nôtre, c'est que nous ne serons jamais exposés à nous
prendre pour un autre, ni un autre pour nous. D'ailleurs
les secours que nos sens se prêtent mutuellement les
empêchent de se perfectionner. Cette occasion ne sera
pas la seule que j'aurai d'en faire la remarque.

Notre aveugle nous dit, à ce sujet, qu'il se trouverait
fort à plaindre d'être privé des mêmes avantages que
nous, et qu'il aurait été tenté de nous regarder comme
des intelligences supérieures, s'il n'avait éprouvé cent fois
combien nous lui cédions à d'autres égards. Cette réflexion
nous en fit faire une autre. Cet aveugle, dîmes-nous,
s'estime autant et plus peut-être que nous qui voyons :
pourquoi donc, si l'animal raisonne, comme on n'en
peut guère douter, balançant ses avantages sur l'homme,

qui lui sont mieux connus que ceux de l'homme sur lui,
ne porterait-il pas un semblable jugement ? Il a des bras,
dit peut-être le moucheron, mais j'ai des ailes. S'il a des
armes, dit le lion, n'avons-nous pas des ongles ? L'éléphant nous verra comme des insectes ; et tous les animaux,
nous accordant volontiers une raison avec laquelle nous
aurions grand besoin de leur instinct, se prétendront
doués d'un instinct avec lequel ils se passent fort bien
de notre raison. Nous avons un si violent penchant à
surfaire nos qualités et à diminuer nos défauts, qu'il
semblerait presque que c'est à l'homme à faire le traité
de la force, et à l'animal celui de la raison.

Quelqu'un de nous s'avisa de demander à notre
aveugle s'il serait bien content d'avoir des yeux : « Si
la curiosité ne me dominait pas, dit-il, j'aimerais bien
autant avoir de longs bras : il me semble que mes mains
m'instruiraient mieux de ce qui se passe dans la lune
que vos yeux ou vos télescopes ; et puis les yeux cessent
plutôt de voir que les mains de toucher. Il vaudrait donc
bien autant qu'on perfectionnât en moi l'organe que j'ai,
que de m'accorder celui qui me manque. »

Notre aveugle adresse au bruit ou à la voix si sûrement,
que je ne doute pas qu'un tel exercice ne rendît les
aveugles très adroits et très dangereux. Je vais vous en
raconter un trait qui vous persuadera combien on aurait
tort d'attendre un coup de pierre, ou de s'exposer à un
coup de pistolet de sa main, pour peu qu'il eût l'habitude
de se servir de cette arme. Il eut dans sa jeunesse une
querelle avec un de ses frères, qui s'en trouva fort mal.
Impatienté des propos désagréables qu'il en essuyait, il
saisit le premier objet qui lui tomba sous la main, le lui
lança, l'atteignit au milieu du front, et l'étendit par
terre.

Cette aventure et quelques autres le firent appeler à la
police. Les signes extérieurs de la puissance, qui nous
affectent si vivement, n'en imposent point aux aveugles.
Le nôtre comparut devant le magistrat comme devant
son semblable. Les menaces ne l'intimidèrent point.
« Que me ferez-vous ? dit-il à M. Hérault. — Je vous
jetterai dans un cul-de-basse-fosse, lui répondit le magistrat. — Eh ! monsieur, lui répliqua l'aveugle, il y a
vingt-cinq ans que j'y suis. » Quelle réponse, madame !
et quel texte pour un homme qui aime autant à moraliser
que moi ! Nous sortons de la vie comme d'un spectacle
enchanteur ; l'aveugle en sort ainsi que d'un cachot : si

nous avons à vivre plus de plaisir que lui, convenez qu'il a bien moins de regret à mourir.

L'aveugle du Puiseaux estime la proximité du feu aux degrés de la chaleur; la plénitude des vaisseaux, au bruit que font en tombant les liqueurs qu'il transvase; et le voisinage des corps, à l'action de l'air sur son visage. Il est si sensible aux moindres vicissitudes qui arrivent dans l'atmosphère, qu'il peut distinguer une rue d'un cul-de-sac. Il apprécie à merveille les poids des corps et les capacités des vaisseaux; et il s'est fait de ses bras des balances si justes, et de ses doigts des compas si expérimentés, que dans les occasions où cette espèce de statique a lieu, je gagerai toujours pour notre aveugle, contre vingt personnes qui voient. Le poli des corps n'a guère moins de nuances pour lui que le son de la voix, et il n'y aurait pas à craindre qu'il prît sa femme pour une autre, à moins qu'il ne gagnât au change. Il y a cependant bien de l'apparence que les femmes seraient communes chez un peuple d'aveugles, ou que leurs lois contre l'adultère seraient bien rigoureuses. Il serait si facile aux femmes de tromper leurs maris, en convenant d'un signe avec leurs amants.

Il juge de la beauté par le toucher; cela se comprend : mais ce qui n'est pas si facile à saisir, c'est qu'il fait entrer dans ce jugement la prononciation et le son de la voix. C'est aux anatomistes à nous apprendre s'il y a quelque rapport entre les parties de la bouche et du palais, et la forme extérieure du visage. Il fait de petits ouvrages au tour et à l'aiguille; il nivelle à l'équerre; il monte et démonte les machines ordinaires; il sait assez de musique pour exécuter un morceau dont on lui dit les notes et leurs valeurs. Il estime avec beaucoup plus de précision que nous la durée du temps, par la succession des actions et des pensées. La beauté de la peau, l'embonpoint, la fermeté des chairs, les avantages de la conformation, la douceur de l'haleine, les charmes de la voix, ceux de la prononciation sont des qualités dont il fait grand cas dans les autres.

Il s'est marié pour avoir des yeux qui lui appartinssent. Auparavant, il avait eu dessein de s'associer un sourd qui lui prêterait des yeux, et à qui il apporterait en échange des oreilles. Rien ne m'a tant étonné que son aptitude singulière à un grand nombre de choses; et lorsque nous lui en témoignâmes notre surprise : « Je m'aperçois bien, messieurs, nous dit-il, que vous n'êtes pas aveugles;

vous êtes surpris de ce que je fais; et pourquoi ne vous
étonnez-vous pas aussi de ce que je parle ? » Il y a, je
crois, plus de philosophie dans cette réponse qu'il ne
prétendait y en mettre lui-même. C'est une chose assez
surprenante que la facilité avec laquelle on apprend à
parler. Nous ne parvenons à attacher une idée à quantité
de termes qui ne peuvent être représentés par des objets
sensibles, et qui, pour ainsi dire, n'ont point de corps,
que par une suite de combinaisons fines et profondes
des analogies que nous remarquons entre ces objets non
sensibles et les idées qu'ils excitent; et il faut avouer
conséquemment qu'un aveugle-né doit apprendre à parler
plus difficilement qu'un autre, puisque le nombre des
objets non sensibles étant beaucoup plus grand pour lui,
il a bien moins de champ que nous pour comparer et
pour combiner. Comment veut-on, par exemple, que le
mot physionomie se fixe dans sa mémoire ? C'est une
espèce d'agrément qui consiste en des objets si peu sensibles pour un aveugle, que, faute de l'être assez pour
nous-mêmes qui voyons, nous serions fort embarrassés
de dire bien précisément ce que c'est que d'avoir de la
physionomie. Si c'est principalement dans les yeux qu'elle
réside, le toucher n'y peut rien; et puis, qu'est-ce pour
un aveugle que des yeux morts, des yeux vifs, des yeux
d'esprit, etc.

Je conclus de là que nous tirons sans doute du concours
de nos sens et de nos organes de grands services. Mais ce
serait tout autre chose encore si nous les exercions séparément, et si nous n'en employions jamais deux dans les
occasions où le secours d'un seul nous suffirait. Ajouter
le toucher à la vue, quand on a assez de ses yeux, c'est à
deux chevaux, qui sont déjà fort vifs, en atteler un troisième en arbalète qui tire d'un côté, tandis que les
autres tirent de l'autre.

Comme je n'ai jamais douté que l'état de nos organes
et de nos sens n'ait beaucoup d'influence sur notre métaphysique et sur notre morale, et que nos idées les plus
purement intellectuelles, si je puis parler ainsi, ne tiennent
de fort près à la conformation de notre corps, je me mis
à questionner notre aveugle sur les vices et sur les vertus. Je m'aperçus d'abord qu'il avait une aversion prodigieuse pour le vol; elle naissait en lui de deux causes :
de la facilité qu'on avait de le voler sans qu'il s'en aperçût;
et plus encore, peut-être, de celle qu'on avait de l'apercevoir quand il volait. Ce n'est pas qu'il ne sache très

bien se mettre en garde contre le sens qu'il nous connaît de plus qu'à lui, et qu'il ignore la manière de bien cacher un vol. Il ne fait pas grand cas de la pudeur : sans les injures de l'air, dont les vêtements le garantissent, il n'en comprendrait guère l'usage; et il avoue franchement qu'il ne devine pas pourquoi l'on couvre plutôt une partie du corps qu'une autre, et moins encore par quelle bizarrerie on donne entre ces parties la préférence à certaines que leur usage et les indispositions auxquelles elles sont sujettes demanderaient que l'on tînt libres. Quoique nous soyons dans un siècle où l'esprit philosophique nous a débarrassés d'un grand nombre de préjugés, je ne crois pas que nous en venions jamais jusqu'à méconnaître les prérogatives de la pudeur aussi parfaitement que mon aveugle. Diogène n'aurait point été pour lui un philosophe.

Comme de toutes les démonstrations extérieures qui réveillent en nous la commisération et les idées de la douleur, les aveugles ne sont affectés que par la plainte, je les soupçonne, en général, d'inhumanité. Quelle différence y a-t-il pour un aveugle, entre un homme qui urine et un homme qui, sans se plaindre, verse son sang? Nous-mêmes, ne cessons-nous pas de compatir lorsque la distance ou la petitesse des objets produit le même effet sur nous que la privation de la vue sur les aveugles? Tant nos vertus dépendent de notre manière de sentir et du degré auquel les choses extérieures nous affectent! Aussi je ne doute point que, sans la crainte du châtiment, bien des gens n'eussent moins de peine à tuer un homme à une distance où ils ne le verraient gros que comme une hirondelle, qu'à égorger un bœuf de leurs mains. Si nous avons de la compassion pour un cheval qui souffre, et si nous écrasons une fourmi sans aucun scrupule, n'est-ce pas le même principe qui nous détermine? Ah, madame! que la morale des aveugles est différente de la nôtre! Que celle d'un sourd différerait encore de celle d'un aveugle, et qu'un être qui aurait un sens de plus que nous trouverait notre morale imparfaite, pour ne rien dire de pis!

Notre métaphysique ne s'accorde pas mieux avec la leur. Combien de principes pour eux qui ne sont que des absurdités pour nous, et réciproquement! Je pourrais entrer là-dessus dans un détail qui vous amuserait sans doute, mais que de certaines gens, qui voient du crime à tout, ne manqueraient pas d'accuser d'irréligion;

comme s'il dépendait de moi de faire apercevoir aux aveugles les choses autrement qu'ils ne les aperçoivent. Je me contenterai d'observer une chose dont je crois qu'il faut que tout le monde convienne : c'est que ce grand raisonnement, qu'on tire des merveilles de la nature, est bien faible pour des aveugles. La facilité que nous avons de créer, pour ainsi dire, de nouveaux objets par le moyen d'une petite glace, est quelque chose de plus incompréhensible pour eux que des astres qu'ils ont été condamnés à ne voir jamais. Ce globe lumineux qui s'avance d'orient en occident les étonne moins qu'un petit feu qu'ils ont la commodité d'augmenter ou de diminuer : comme ils voient la matière d'une manière beaucoup plus abstraite que nous, ils sont moins éloignés de croire qu'elle pense.

Si un homme qui n'a vu que pendant un jour ou deux se trouvait confondu chez un peuple d'aveugles, il faudrait qu'il prît le parti de se taire, ou celui de passer pour un fou. Il leur annoncerait tous les jours quelque nouveau mystère, qui n'en serait un que pour eux, et que les esprits forts se sauraient bon gré de ne pas croire. Les défenseurs de la religion ne pourraient-ils pas tirer un grand parti d'une incrédulité si opiniâtre, si juste même, à certains égards, et cependant si peu fondée ? Si vous vous prêtez pour un instant à cette supposition, elle vous rappellera, sous des traits empruntés, l'histoire et les persécutions de ceux qui ont eu le malheur de rencontrer la vérité dans des siècles de ténèbres, et l'imprudence de la déceler à leurs aveugles contemporains, entre lesquels ils n'ont point eu d'ennemis plus cruels que ceux qui, par leur état et leur éducation, semblaient devoir être les moins éloignés de leurs sentiments.

Je laisse donc la morale et la métaphysique des aveugles, et je passe à des choses qui sont moins importantes, mais qui tiennent de plus près au but des observations qu'on fait ici de toutes parts depuis l'arrivée du Prussien. Première question. Comment un aveugle-né se forme-t-il des idées des figures ? Je crois que les mouvements de son corps, l'existence successive de sa main en plusieurs lieux, la sensation non interrompue d'un corps qui passe entre ses doigts, lui donnent la notion de direction. S'il les glisse le long d'un fil bien tendu, il prend l'idée d'une ligne droite; s'il suit la courbure d'un fil lâche, il prend celle d'une ligne courbe. Plus généralement, il a, par des expériences réitérées du toucher, la mémoire de sensations éprouvées en différents points : il est maître de combiner ces sensations ou points, et d'en former des figures. Une ligne droite, pour un aveugle qui n'est point géomètre, n'est autre chose que la mémoire d'une suite de sensations du toucher placées dans la direction d'un fil tendu; une ligne courbe, la mémoire d'une suite de sensations du toucher, rapportées à la surface de quelque corps solide, concave ou convexe. L'étude rectifie dans le géomètre la notion de ces lignes par les propriétés qu'il leur découvre. Mais, géomètre ou non, l'aveugle-né rapporte tout à l'extrémité de ses doigts. Nous combinons des points colorés; il ne combine, lui, que des points palpables, ou, pour parler plus exactement, que des sensations du toucher dont il a mémoire. Il ne se passe rien dans sa tête d'analogue à ce qui se passe dans la nôtre : il n'imagine point; car, pour imaginer, il faut colorer un fond et détacher de ce fond des points, en leur supposant une couleur différente de celle du fond. Restituez à ces points la même couleur qu'au fond; à l'instant ils se confondent avec lui, et la figure disparaît; du moins, c'est ainsi que les choses s'exécutent dans mon imagination; et je présume que les autres n'imaginent pas autrement que moi. Lors donc que je me propose d'apercevoir dans ma tête une ligne droite, autrement que par ses propriétés, je commence par la tapisser en dedans d'une toile blanche, dont je détache une suite de points noirs dans la même direction. Plus les couleurs du fond et des points sont tranchantes, plus j'aperçois les points distinctement, et une figure d'une couleur fort voisine de celle du fond ne me fatigue pas moins à considérer dans mon imagination que hors de moi, et sur une toile.

Vous voyez donc, madame, qu'on pourrait donner des lois pour imaginer facilement à la fois plusieurs objets diversement colorés; mais que ces lois ne seraient certainement pas à l'usage d'un aveugle-né. L'aveugle-né, ne pouvant colorer, ni par conséquent figurer comme nous l'entendons, n'a mémoire que de sensations prises par le toucher, qu'il rapporte à différents points, lieux ou distances, et dont il compose des figures. Il est si constant que l'on ne figure point dans l'imagination sans colorer, que si l'on nous donne à toucher dans les ténèbres de petits globules dont nous ne connaissions ni la matière ni la couleur, nous les supposerons aussitôt blancs ou noirs, ou de quelque autre couleur; ou que, si nous ne

leur en attachons aucune, nous n'aurons, ainsi que
l'aveugle-né, que la mémoire de petites sensations excitées
à l'extrémité des doigts, et telles que de petits corps
ronds peuvent les occasionner. Si cette mémoire est
très fugitive en nous; si nous n'avons guère d'idées de
la manière dont un aveugle-né fixe, rappelle et combine
les sensations du toucher, c'est une suite de l'habitude
que nous avons prise par les yeux, de tout exécuter dans
notre imagination avec des couleurs. Il m'est cependant
arrivé à moi-même, dans les agitations d'une passion
violente, d'éprouver un frissonnement dans toute une
main; de sentir l'impression de corps que j'avais touchés
il y avait longtemps s'y réveiller aussi vivement que s'ils
eussent encore été présents à mon attouchement, et de
m'apercevoir très distinctement que les limites de la
sensation coïncidaient précisément avec celles de ces
corps absents. Quoique la sensation soit indivisible par
elle-même, elle occupe, si on peut se servir de ce terme,
un espace étendu, auquel l'aveugle-né a la faculté d'ajouter ou de retrancher par la pensée, en grossissant ou
diminuant la partie affectée. Il compose, par ce moyen,
des points, des surfaces, des solides; il aura même un
solide gros comme le globe terrestre, s'il se suppose le
bout du doigt gros comme le globe, et occupé par la
sensation en longueur, largeur et profondeur.

Je ne connais rien qui démontre mieux la réalité du
sens interne que cette faculté, faible en nous, mais forte
dans les aveugles-nés, de sentir ou de se rappeler la sensation des corps, lors même qu'ils sont absents et qu'ils
n'agissent plus sur eux. Nous ne pouvons faire entendre
à un aveugle-né comment l'imagination nous peint les
objets absents comme s'ils étaient présents; mais nous
pouvons très bien reconnaître en nous la faculté de sentir
à l'extrémité d'un doigt un corps qui n'y est plus, telle
qu'elle est dans l'aveugle-né. Pour cet effet, serrez l'index
contre le pouce; fermez les yeux; séparez vos doigts;
examinez immédiatement après cette séparation ce qui
se passe en vous, et dites-moi si la sensation ne dure pas
longtemps après que la compression a cessé; si, pendant
que la compression dure, votre âme vous paraît plus
dans votre tête qu'à l'extrémité de vos doigts; et si cette
compression ne vous donne pas la notion d'une surface,
par l'espace qu'occupe la sensation. Nous ne distinguons
la présence des êtres hors de nous, de leur représentation
dans notre imagination, que par la force et la faiblesse

de l'impression : pareillement, l'aveugle-né ne discerne la sensation d'avec la présence réelle d'un objet à l'extrémité de son doigt, que par la force ou la faiblesse de la sensation même.

Si jamais un philosophe aveugle et sourd de naissance fait un homme à l'imitation de celui de Descartes, j'ose vous assurer, madame, qu'il placera l'âme au bout des doigts; car c'est de là que lui viennent ses principales sensations, et toutes ses connaissances. Et qui l'avertirait que sa tête est le siège de ses pensées ? Si les travaux de l'imagination épuisent la nôtre, c'est que l'effort que nous faisons pour imaginer est assez semblable à celui que nous faisons pour apercevoir des objets très proches ou très petits. Mais il n'en sera pas de même de l'aveugle et sourd de naissance : les sensations qu'il aura prises par le toucher seront, pour ainsi dire, le moule de toutes ses idées; et je ne serais pas surpris, qu'après une profonde méditation, il eût les doigts aussi fatigués que nous avons la tête. Je ne craindrais point qu'un philosophe lui objectât que les nerfs sont les causes de nos sensations, et qu'ils partent tous du cerveau : quand ces deux propositions seraient aussi démontrées qu'elles le sont peu, surtout la première, il lui suffirait de se faire expliquer tout ce que les physiciens ont rêvé là-dessus, pour persister dans son sentiment.

Mais si l'imagination d'un aveugle n'est autre chose que la faculté de se rappeler et de combiner des sensations de points palpables, et celle d'un homme qui voit, la faculté de se rappeler et de combiner des points visibles ou colorés, il s'ensuit que l'aveugle-né aperçoit les choses d'une manière beaucoup plus abstraite que nous; et que dans les questions de pure spéculation, il est peut-être moins sujet à se tromper; car l'abstraction ne consiste qu'à séparer par la pensée les qualités sensibles des corps, ou les unes des autres, ou du corps même qui leur sert de base; et l'erreur naît de cette séparation mal faite, ou faite mal à propos; mal faite, dans les questions métaphysiques; et faite mal à propos, dans les questions physico-mathématiques. Un moyen presque sûr de se tromper en métaphysique, c'est de ne pas simplifier assez les objets dont on s'occupe; et un secret infaillible pour arriver en physico-mathématique à des résultats défectueux, c'est de les supposer moins composés qu'ils ne le sont.

Il y a une espèce d'abstraction dont si peu d'hommes

sont capables, qu'elle semble réservée aux intelligences pures; c'est celle par laquelle tout se réduirait à des unités numériques. Il faut convenir que les résultats de cette géométrie seraient bien exacts, et ses formules bien générales; car il n'y a point d'objets, soit dans la nature, soit dans le possible, que ces unités simples ne pussent représenter, des points, des lignes, des surfaces, des solides, des pensées, des idées, des sensations, et... si, par hasard, c'était là le fondement de la doctrine de Pythagore, on pourrait dire de lui qu'il échoua dans son projet, parce que cette manière de philosopher est trop au-dessus de nous, et trop approchante de celle de l'Etre suprême, qui, selon l'expression ingénieuse d'un géomètre anglais, *géométrise* perpétuellement dans l'univers.

L'unité pure et simple est un symbole trop vague et trop général pour nous. Nos sens nous ramènent à des signes plus analogues à l'étendue de notre esprit et à la conformation de nos organes. Nous avons même fait en sorte que ces signes pussent être communs entre nous, et qu'ils servissent, pour ainsi dire, d'entrepôt au commerce mutuel de nos idées. Nous en avons institué pour les yeux, ce sont les caractères; pour l'oreille, ce sont les sons articulés; mais nous n'en avons aucun pour le toucher, quoiqu'il y ait une manière propre de parler à ce sens, et d'en obtenir des réponses. Faute de cette langue, la communication est entièrement rompue entre nous et ceux qui naissent sourds, aveugles et muets. Ils croissent; mais ils restent dans un état d'imbécillité. Peut-être acquerraient-ils des idées, si l'on se faisait entendre à eux dès l'enfance d'une manière fixe, déterminée, constante et uniforme; en un mot, si on leur traçait sur la main les mêmes caractères que nous traçons sur le papier, et que la même signification leur demeurât invariablement attachée.

Ce langage, madame, ne vous paraît-il pas aussi commode qu'un autre? N'est-il pas même tout inventé? Et oseriez-vous nous assurer qu'on ne vous a jamais rien fait entendre de cette manière? Il ne s'agit donc que de le fixer et d'en faire une grammaire et des dictionnaires, si l'on trouve que l'expression, par les caractères ordinaires de l'écriture, soit trop lente pour ce sens.

Les connaissances ont trois portes pour entrer dans notre âme, et nous en tenons une barricadée par le défaut de signes. Si l'on eût négligé les deux autres, nous en serions réduits à la condition des animaux. De même que nous n'avons que le serré pour nous faire entendre au sens du toucher, nous n'aurions que le cri pour parler à l'oreille. Madame, il faut manquer d'un sens pour connaître les avantages des symboles destinés à ceux qui restent; et des gens qui auraient le malheur d'être sourds, aveugles et muets, ou qui viendraient à perdre ces trois sens par quelque accident, seraient bien charmés qu'il y eût une langue nette et précise pour le toucher.

Il est bien plus court d'user de symboles tout inventés que d'en être inventeur, comme on y est forcé, lorsqu'on est pris au dépourvu. Quel avantage n'eût-ce pas été pour Saunderson de trouver une arithmétique palpable toute préparée à l'âge de cinq ans, au lieu d'avoir à l'imaginer à l'âge de vingt-cinq! Ce Saunderson, madame, est un autre aveugle dont il ne sera pas hors de propos de vous entretenir. On en raconte des prodiges; et il n'y en a aucun que ses progrès dans les belles-lettres, et son habileté dans les sciences mathématiques ne puissent rendre croyable.

La même machine lui servait pour les calculs algébriques et pour la description des figures rectilignes. Vous ne seriez pas fâchée qu'on vous en fît l'explication, pourvu que vous fussiez en état de l'entendre; et vous allez voir qu'elle ne suppose aucune connaissance que vous n'ayez, et qu'elle vous serait très utile, s'il vous prenait jamais envie de faire de longs calculs à tâtons.

Imaginez un carré, tel que vous le voyez fig. 1 et 2, divisé en quatre parties égales par des lignes perpendiculaires aux côtés, en sorte qu'il vous offrît les neuf points 1, 2, 3, 4, 5, 6, 7, 8, 9. Supposez ce carré percé de neuf trous capables de recevoir des épingles de deux espèces, toutes de même longueur et de même grosseur, mais les unes à tête un peu plus grosse que les autres.

Les épingles à grosse tête ne se plaçaient jamais qu'au centre du carré; celles à petite tête, jamais que sur les côtés, excepté dans un seul cas, celui du zéro. Le zéro se marquait par une épingle à grosse tête, placée au centre du petit carré, sans qu'il y eût aucune autre épingle sur les côtés. Le chiffre 1 était représenté par une épingle à petite tête, placée au centre du carré, sans qu'il y eût aucune autre épingle sur les côtés. Le chiffre 2, par une épingle à grosse tête, placée au centre du carré, et par une épingle à petite tête, placée sur un des côtés, au point 1. Le chiffre 3, par une épingle à grosse tête, placée au centre du carré, et par une épingle à petite tête, placée

sur un des côtés au point 2. Le chiffre 4, par une épingle
à grosse tête, placée au centre du carré, et par une épingle
à petite tête, placée sur un des côtés au point 3. Le chiffre
5, par une épingle à grosse tête, placée au centre du
carré, et par une épingle à petite tête, placée sur un des
côtés au point 4. Le chiffre 6, par une épingle à grosse
tête, placée au centre du carré, et par une épingle à petite
tête, placée sur un des côtés au point 5. Le chiffre 7, par
une épingle à grosse tête, placée au centre du carré, et
par une épingle à petite tête, placée sur un des côtés
au point 6. Le chiffre 8, par une épingle à grosse tête,
placée au centre du carré, et par une épingle à petite
tête, placée sur un des côtés au point 7. Le chiffre 9, par
une épingle à grosse tête, placée au centre du carré, et
par une épingle à petite tête, placée sur un des côtés du
carré au point 8.

Voilà bien dix expressions différentes pour le tact,
dont chacune répond à un de nos dix caractères arithmétiques. Imaginez maintenant une table si grande que
vous voudrez, partagée en petits carrés rangés horizon-
talement, et séparés les uns des autres de la même distance, ainsi que vous le voyez fig. 3, et vous aurez la
machine de Saunderson.

Vous concevez facilement qu'il n'y a point de nombres
qu'on ne puisse écrire sur cette table, et par conséquent
aucune opération arithmétique qu'on n'y puisse exécuter.

Soit proposé, par exemple, de trouver la somme, ou
de faire l'addition des neuf nombres suivants :

$$
\begin{array}{ccccc}
1 & 2 & 3 & 4 & 5 \\
2 & 3 & 4 & 5 & 6 \\
3 & 4 & 5 & 6 & 7 \\
4 & 5 & 6 & 7 & 8 \\
5 & 6 & 7 & 8 & 9 \\
6 & 7 & 8 & 9 & 0 \\
7 & 8 & 9 & 0 & 1 \\
8 & 9 & 0 & 1 & 2 \\
9 & 0 & 1 & 2 & 3 \\
\end{array}
$$

Je les écris sur la table, à mesure qu'on me les nomme;
le premier chiffre, à gauche du premier nombre, sur le
premier carré à gauche de la première ligne; le second
chiffre, à gauche du premier nombre, sur le second
carré à gauche de la même ligne. Et ainsi de suite.

Je place le second nombre sur la seconde rangée de carrés; les unités sous les unités; les dizaines sous les dizaines, etc.

Je place le troisième nombre sur la troisième rangée de carrés, et ainsi de suite, comme vous voyez fig. 3. Puis, parcourant avec les doigts chaque rangée verticale de bas en haut, en commençant par celle qui est le plus à ma gauche je fais l'addition des nombres qui y sont exprimés; et j'écris le surplus des dizaines au bas de cette colonne. Je passe à la seconde colonne en avançant vers la gauche, sur laquelle j'opère de la même manière; de celle-là à la troisième, et j'achève ainsi de suite mon addition.

Voici comment la même table lui servait à démontrer les propriétés des figures rectilignes. Supposons qu'il eût à démontrer que les parallélogrammes, qui ont même base et même hauteur, sont égaux en surface : il plaçait ses épingles comme vous les voyez fig. 4. Il attachait des noms aux points angulaires, et il achevait la démonstration avec ses doigts.

En supposant que Saunderson n'employât que des épingles à grosse tête, pour désigner les limites de ses figures, il pouvait disposer autour d'elles des épingles à petite tête de neuf façons différentes, qui toutes lui étaient familières. Ainsi il n'était guère embarrassé, que dans les cas où le grand nombre de points angulaires qu'il était obligé de nommer dans sa démonstration le forçait de recourir aux lettres de l'alphabet. On ne nous apprend point comment il les employait.

Nous savons seulement qu'il parcourait sa table avec une agilité de doigts surprenante; qu'il s'engageait avec succès dans les calculs les plus longs; qu'il pouvait les interrompre, et reconnaître quand il se trompait; qu'il les vérifiait avec facilité; et que ce travail ne lui demandait pas, à beaucoup près, autant de temps qu'on pourrait se l'imaginer, par la commodité qu'il avait de préparer sa table.

Cette préparation consistait à placer des épingles à grosse tête au centre de tous les carrés. Cela fait, il ne lui restait plus qu'à en déterminer la valeur par les épingles à petite tête, excepté dans les cas où il fallait écrire une unité. Alors il mettait au centre du carré une épingle à petite tête, à la place de l'épingle à grosse tête qui l'occupait.

Quelquefois, au lieu de former une ligne entière avec

ses épingles, il se contentait d'en placer à tous les points angulaires ou d'intersection, autour desquels il fixait des fils de soie qui achevaient de former les limites de ses figures. Voyez la fig. 5.

Il a laissé quelques autres machines qui lui facilitaient l'étude de la géométrie : on ignore le véritable usage qu'il en faisait; et il y aurait peut-être plus de sagacité à le retrouver qu'à résoudre un problème de calcul intégral. Que quelque géomètre tâche de nous apprendre à quoi lui servaient quatre morceaux de bois, solides, de la forme de parallélépipèdes rectangulaires, chacun de onze pouces de long sur cinq et demi de large, et sur un peu plus d'un demi-pouce d'épais, dont les deux grandes surfaces opposées étaient divisées en petits carrés semblables à celui de l'abaque que je viens de décrire; avec cette différence qu'ils n'étaient percés qu'en quelques endroits où des épingles étaient enfoncées jusqu'à la tête. Chaque surface représentait neuf petites tables arithmétiques de dix nombres chacune, et chacun de ces dix nombres était composé de dix chiffres. La fig. 6 représente une de ces petites tables; et voici les nombres qu'elle contenait :

$$
\begin{array}{ccccc}
9 & 4 & 0 & 8 & 4 \\
2 & 4 & 1 & 8 & 6 \\
4 & 1 & 7 & 9 & 2 \\
5 & 4 & 2 & 8 & 4 \\
6 & 3 & 9 & 6 & 8 \\
7 & 1 & 8 & 8 & 0 \\
7 & 8 & 5 & 6 & 8 \\
8 & 4 & 3 & 5 & 8 \\
8 & 9 & 4 & 6 & 4 \\
9 & 4 & 0 & 3 & 0
\end{array}
$$

Il est auteur d'un ouvrage très parfait dans son genre. Ce sont des *Eléments d'algèbre*, où l'on n'aperçoit qu'il était aveugle qu'à la singularité de certaines démonstrations qu'un homme qui voit n'eût peut-être pas rencontrées. C'est à lui qu'appartient la division du cube en six pyramides égales qui ont leurs sommets au centre du cube, et pour bases chacune une de ses faces. On s'en sert pour démontrer d'une manière très simple que toute pyramide est le tiers d'un prisme de même base et de même hauteur.

Il fut entraîné par son goût à l'étude des mathématiques, et déterminé, par la médiocrité de sa fortune et les conseils de ses amis, à en faire des leçons publiques. Ils ne doutèrent point qu'il ne réussît au-delà de ses espérances, par la facilité prodigieuse qu'il avait à se faire entendre. En effet, Saunderson parlait à ses élèves comme s'ils eussent été privés de la vue : mais un aveugle qui s'exprime clairement pour des aveugles doit gagner beaucoup avec des gens qui voient; ils ont un télescope de plus.

Ceux qui ont écrit sa vie disent qu'il était fécond en expressions heureuses; et cela est fort vraisemblable. Mais qu'entendez-vous par des expressions heureuses, me demanderez-vous peut-être ? Je vous répondrai, madame, que ce sont celles qui sont propres à un sens, au toucher, par exemple, et qui sont métaphoriques en même temps à un autre sens, comme aux yeux; d'où il résulte une double lumière pour celui à qui l'on parle, la lumière vraie et directe de l'expression, et la lumière réfléchie de la métaphore. Il est évident que dans ces occasions Saunderson, avec tout l'esprit qu'il avait, ne s'entendait qu'à moitié, puisqu'il n'apercevait que la moitié des idées attachées aux termes qu'il employait. Mais qui est-ce qui n'est pas de temps en temps dans le même cas ? Cet accident est commun aux idiots, qui font quelquefois d'excellentes plaisanteries, et aux personnes qui ont le plus d'esprit, à qui il échappe une sottise, sans que ni les uns ni les autres s'en aperçoivent.

J'ai remarqué que la disette de mots produisait aussi le même effet sur les étrangers à qui la langue n'est pas encore familière : ils sont forcés de tout dire avec une très petite quantité de termes, ce qui les contraint d'en placer quelques-uns très heureusement. Mais toute langue en général étant pauvre de mots propres pour les écrivains qui ont l'imagination vive, ils sont dans le même cas que des étrangers qui ont beaucoup d'esprit; les situations qu'ils inventent, les nuances délicates qu'ils aperçoivent dans les caractères, la naïveté des peintures qu'ils ont à faire, les écartent à tout moment des façons de parler ordinaires, et leur font adopter des tours de phrases qui sont admirables toutes les fois qu'ils ne sont ni précieux ni obscurs; défauts qu'on leur pardonne plus ou moins difficilement, selon qu'on a plus d'esprit soi-même, et moins de connaissance de la langue. Voilà pourquoi M. de M... est de tous les auteurs français celui qui plaît le plus aux Anglais; et Tacite, celui de

tous les auteurs latins que les *penseurs* estiment davantage. Les licences de la langue nous échappent, et la
vérité des termes nous frappe seule.

Saunderson professa les mathématiques dans l'université de Cambridge avec un succès étonnant. Il donna des
leçons d'optique; il prononça des discours sur la nature
de la lumière et des couleurs; il expliqua la théorie de
la vision; il traita des effets des verres, des phénomènes
de l'arc-en-ciel et de plusieurs autres matières relatives
à la vue et à son organe.

Ces choses perdront beaucoup de leur merveilleux, si
vous considérez, madame, qu'il y a trois choses à distinguer dans toute question mêlée de physique et de géométrie : le phénomène à expliquer, les suppositions du
géomètre et le calcul qui résulte des suppositions. Or il
est évident que, quelle que soit la pénétration d'un
aveugle, les phénomènes de la lumière et des couleurs
lui sont inconnus. Il entendra les suppositions, parce
qu'elles sont toutes relatives à des causes palpables, mais
nullement la raison que le géomètre avait de les préférer
à d'autres : car il faudrait qu'il pût comparer les suppositions mêmes avec les phénomènes. L'aveugle prend
donc les suppositions pour ce qu'on les lui donne : un
rayon de lumière pour un fil élastique et mince, ou pour
une suite de petits corps qui viennent frapper nos yeux
avec une vitesse incroyable; et il calcule en conséquence.
Le passage de la physique à la géométrie est franchi, et
la question devient purement mathématique.

Mais que devons-nous penser des résultats du calcul ?
1º Qu'il est quelquefois de la dernière difficulté de les
obtenir, et qu'en vain un physicien serait très heureux à
imaginer les hypothèses les plus conformes à la nature,
s'il ne savait les faire valoir par la géométrie : aussi les
plus grands physiciens, Galilée, Descartes, Newton,
ont-ils été grands géomètres; 2º Que ces résultats sont
plus ou moins certains, selon que les hypothèses dont on
est parti sont plus ou moins compliquées. Lorsque le
calcul est fondé sur une hypothèse simple, alors les
conclusions acquièrent la force de démonstrations géométriques. Lorsqu'il y a un grand nombre de suppositions, l'apparence que chaque hypothèse soit vraie dimi-
nue en raison du nombre des hypothèses, mais augmente
d'un autre côté par le peu de vraisemblance que tant
d'hypothèses fausses se puissent corriger exactement
l'une l'autre, et qu'on en obtienne un résultat confirmé

par les phénomènes. Il en serait en ce cas comme d'une addition dont le résultat serait exact, quoique les sommes partielles des nombres ajoutés eussent toutes été prises faussement. On ne peut disconvenir qu'une telle opération ne soit possible; mais vous voyez en même temps qu'elle doit être fort rare. Plus il y aura de nombres à ajouter, plus il y aura d'apparence que l'on se sera trompé dans l'addition de chacun; mais aussi, moins cette apparence sera grande, si le résultat de l'opération est juste. Il y a donc un nombre d'hypothèses tel que la certitude qui en résulterait serait la plus petite qu'il est possible. Si je fais A, plus B, plus C, égaux à 50, conclurai-je de ce que 50 est en effet la quantité du phénomène, que les suppositions représentées par les lettres A, B, C, sont vraies ? Nullement; car il y a une infinité de manières d'ôter à l'une de ces lettres et d'ajouter aux deux autres, d'après lesquelles je trouverai toujours 50 pour résultat; mais le cas de trois hypothèses combinées est peut-être un des plus défavorables.

Un avantage du calcul que je ne dois pas omettre, c'est d'exclure les hypothèses fausses, par la contrariété qui se trouve entre le résultat et le phénomène. Si un physicien se propose de trouver la courbe que suit un rayon de lumière en traversant l'atmosphère, il est obligé de prendre son parti sur la densité des couches de l'air, sur la loi de la réfraction, sur la nature et la figure des corpuscules lumineux, et peut-être sur d'autres éléments essentiels qu'il ne fait point entrer en compte, soit parce qu'il les néglige volontairement, soit parce qu'ils lui sont inconnus. Il détermine ensuite la courbe du rayon. Est-elle autre dans la nature que son calcul ne la donne ? ses suppositions sont incomplètes ou fausses. Le rayon prend-il la courbe déterminée ? il s'ensuit de deux choses l'une : ou que les suppositions se sont redressées, ou qu'elles sont exactes; mais lequel des deux ? il l'ignore : cependant voilà toute la certitude à laquelle il peut arriver.

J'ai parcouru les *Eléments d'algèbre* de Saunderson, dans l'espérance d'y rencontrer ce que je désirais d'apprendre de ceux qui l'ont vu familièrement, et qui nous ont instruits de quelques particularités de sa vie; mais ma curiosité a été trompée; et j'ai conçu que des éléments de géométrie de sa façon auraient été un ouvrage plus singulier en lui-même et beaucoup plus utile pour nous. Nous y aurions trouvé les définitions du point, de la

ligne, de la surface, du solide, de l'angle, des intersections
des lignes et des plans, où je ne doute point qu'il n'eût
employé des principes d'une métaphysique très abstraite
et fort voisine de celle des idéalistes. On appelle *idéalistes*
ces philosophes qui, n'ayant conscience que de leur
existence et des sensations qui se succèdent au-dedans
d'eux-mêmes, n'admettent pas autre chose : système
extravagant qui ne pouvait, ce me semble, devoir sa
naissance qu'à des aveugles; système qui, à la honte de
l'esprit humain et de la philosophie, est le plus difficile
à combattre, quoique le plus absurde de tous. Il est
exposé avec autant de franchise que de clarté dans
trois dialogues du docteur Berkeley, évêque de Cloyne :
il faudrait inviter l'auteur de l'*Essai* sur nos connaissances
à examiner cet ouvrage; il y trouverait matière à des
observations utiles, agréables, fines, et telles, en un mot,
qu'il les sait faire. L'idéalisme mérite bien de lui être
dénoncé; et cette hypothèse a de quoi le piquer, moins
encore par sa singularité que par la difficulté de la
réfuter dans ses principes; car ce sont précisément les
mêmes que ceux de Berkeley. Selon l'un et l'autre, et
selon la raison, les termes essence, matière, substance,
suppôt, etc., ne portent guère par eux-mêmes de lumières
dans notre esprit; d'ailleurs, remarque judicieusement
l'auteur de l'*Essai sur l'origine des connaissances humaines*,
soit que nous nous élevions jusqu'aux cieux, soit que
nous descendions jusque dans les abîmes, nous ne sortons jamais de nous-mêmes; et ce n'est que notre pensée
que nous apercevons : or c'est là le résultat du premier
dialogue de Berkeley, et le fondement de tout son système. Ne seriez-vous pas curieuse de voir aux prises
deux ennemis, dont les armes se ressemblent si fort ? Si
la victoire restait à l'un des deux, ce ne pourrait être qu'à
celui qui s'en servirait le mieux; mais l'auteur de l'*Essai
sur l'origine des connaissances humaines* vient de donner,
dans un *Traité sur les systèmes*, de nouvelles preuves de
l'adresse avec laquelle il sait manier les siennes, et
montrer combien il est redoutable pour les systématiques.

   Nous voilà bien loin de nos aveugles, direz-vous; mais
il faut que vous ayez la bonté, madame, de me passer
toutes ces digressions : je vous ai promis un entretien, et
je ne puis vous tenir parole sans cette indulgence.

   J'ai lu, avec toute l'attention dont je suis capable, ce
que Saunderson a dit de l'infini; je puis vous assurer

qu'il avait sur ce sujet des idées très justes et très nettes, et que la plupart de nos *infinitaires* n'auraient été pour lui que des aveugles. Il ne tiendra qu'à vous d'en juger par vous-même : quoique cette matière soit assez difficile et s'étende un peu au-delà de vos connaissances mathématiques, je ne désespérerais pas, en me préparant, de la mettre à votre portée, et de vous initier dans cette logique infinitésimale.

L'exemple de cet illustre aveugle prouve que le tact peut devenir plus délicat que la vue, lorsqu'il est perfectionné par l'exercice; car, en parcourant des mains une suite de médailles, il discernait les vraies d'avec les fausses, quoique celles-ci fussent assez bien contrefaites pour tromper un connaisseur qui aurait eu de bons yeux; et il jugeait de l'exactitude d'un instrument de mathématique, en faisant passer l'extrémité de ses doigts sur ses divisions. Voilà certainement des choses plus difficiles à faire, que d'estimer par le tact la ressemblance d'un buste avec la personne représentée; d'où l'on voit qu'un peuple d'aveugles pourrait avoir des statuaires, et tirer des statues le même avantage que nous, celui de perpétuer la mémoire des belles actions et des personnes qui leur seraient chères. Je ne doute pas même que le sentiment qu'ils éprouveraient à toucher les statues ne fût beaucoup plus vif que celui que nous avons à les voir. Quelle douceur pour un amant qui aurait bien tendrement aimé, de promener ses mains sur des charmes qu'il reconnaîtrait, lorsque l'illusion qui doit agir plus fortement dans les aveugles qu'en ceux qui voient viendrait à les ranimer! Mais peut-être aussi que, plus il aurait de plaisir dans ce souvenir, moins il aurait de regrets.

Saunderson avait de commun avec l'aveugle du Puiseaux d'être affecté de la moindre vicissitude qui survenait dans l'atmosphère, et de s'apercevoir, surtout dans les temps calmes, de la présence des objets dont il n'était éloigné que de quelques pas. On raconte qu'un jour qu'il assistait à des observations astronomiques qui se faisaient dans un jardin, les nuages qui dérobaient de temps en temps aux observateurs le disque du soleil occasionnaient une altération assez sensible dans l'action des rayons sur son visage pour lui marquer les moments favorables ou contraires aux observations. Vous croirez peut-être qu'il se faisait dans ses yeux quelque ébranlement capable de l'avertir de la présence de la lumière, mais non de celle des objets; et je l'aurais cru comme vous, s'il n'était certain que Saunderson était privé non seulement de la vue, mais de l'organe.

Saunderson voyait donc par la peau; cette enveloppe était donc en lui d'une sensibilité si exquise, qu'on peut assurer qu'avec un peu d'habitude, il serait parvenu à reconnaître un de ses amis dont un dessinateur lui aurait tracé le portrait sur la main, et qu'il aurait prononcé, sur la succession des sensations excitées par le crayon : *C'est monsieur un tel*. Il y a donc aussi une peinture pour les aveugles, celle à qui leur propre peau servirait de toile. Ces idées sont si peu chimériques, que je ne doute point que, si quelqu'un vous traçait sur la main la petite bouche de M..., vous ne la reconnussiez sur-le-champ. Convenez cependant que cela serait plus facile encore à un aveugle-né qu'à vous, malgré l'habitude que vous avez de la voir et de la trouver charmante. Car il entre dans votre jugement deux ou trois choses; la comparaison de la peinture qui s'en ferait sur votre main avec celle qui s'en est faite dans le fond de votre œil; la mémoire de la manière dont on est affecté des choses que l'on sent, et de celle dont on est affecté par les choses qu'on s'est contenté de voir et d'admirer; enfin, l'application de ces données à la question qui vous est proposée par un dessinateur qui vous demande, en traçant une bouche sur la peau de votre main avec la pointe de son crayon : *A qui appartient la bouche que je dessine ?* au lieu que la somme des sensations excitées par une bouche sur la main d'un aveugle, est la même que la somme des sensations successives réveillées par le crayon du dessinateur qui la lui représente.

Je pourrais ajouter à l'histoire de l'aveugle du Puiseaux et de Saunderson, celle de Didyme d'Alexandrie, d'Eusèbe l'Asiatique, de Nicaise de Méchlin, et de quelques autres qui ont paru si fort élevés au-dessus du reste des hommes, avec un sens de moins, que les poètes auraient pu feindre, sans exagération, que les dieux jaloux les en privèrent de peur d'avoir des égaux parmi les mortels. Car qu'était-ce que ce Tirésie, qui avait lu dans les secrets des dieux, et qui possédait le don de prédire l'avenir, qu'un philosophe aveugle dont la Fable nous a conservé la mémoire ? Mais ne nous éloignons plus de Saunderson, et suivons cet homme extraordinaire jusqu'au tombeau.

Lorsqu'il fut sur le point de mourir, on appela auprès de lui un ministre fort habile, M. Gervaise Holmes; ils eurent ensemble un entretien sur l'existence de Dieu, dont il nous reste quelques fragments que je vous traduirai de mon mieux; car ils en valent bien la peine. Le ministre commença par lui objecter les merveilles de la nature : « Eh, monsieur! lui disait le philosophe aveugle, laissez là tout ce beau spectacle qui n'a jamais été fait pour moi! J'ai été condamné à passer ma vie dans les ténèbres; et vous me citez des prodiges que je n'entends point, et qui ne prouvent que pour vous et que pour ceux qui voient comme vous. Si vous voulez que je croie en Dieu, il faut que vous me le fassiez toucher.

— Monsieur, reprit habilement le ministre, portez les mains sur vous-même, et vous rencontrerez la divinité dans le mécanisme admirable de vos organes.

— Monsieur Holmes, reprit Saunderson, je vous le répète, tout cela n'est pas aussi beau pour moi que pour vous. Mais le mécanisme animal fût-il aussi parfait que vous le prétendez, et que je veux bien le croire, car vous êtes un honnête homme très incapable de m'en imposer, qu'a-t-il de commun avec un être souverainement intelligent ? S'il vous étonne, c'est peut-être parce que vous êtes dans l'habitude de traiter de prodige tout ce qui vous paraît au-dessus de vos forces. J'ai été si souvent un objet d'admiration pour vous, que j'ai bien mauvaise opinion de ce qui vous surprend. J'ai attiré du fond de l'Angleterre des gens qui ne pouvaient concevoir comment je faisais de la géométrie : il faut que vous conveniez que ces gens-là n'avaient pas des notions bien exactes de la possibilité des choses. Un phénomène est-il, à notre avis, au-dessus de l'homme ? nous disons aussitôt : *c'est l'ouvrage d'un Dieu;* notre vanité ne se contente pas à moins. Ne pourrions-nous pas mettre dans nos discours un peu moins d'orgueil, et un peu plus de philosophie ? Si la nature nous offre un nœud difficile à délier, laissons-le pour ce qu'il est; et n'employons pas à le couper la main d'un être qui devient ensuite pour nous un nouveau nœud plus indissoluble que le premier. Demandez à un Indien pourquoi le monde reste suspendu dans les airs, il vous répondra qu'il est porté sur le dos d'un éléphant; et l'éléphant sur quoi appuiera-t-il ? sur une tortue; et la tortue, qui la soutiendra ?... Cet Indien vous fait pitié; et l'on pourrait vous dire comme à lui : Monsieur Holmes, mon ami, confessez d'abord votre ignorance, et faites-moi grâce de l'éléphant et de la tortue. »

Saunderson s'arrêta un moment : il attendait appa-

remment que le ministre lui répondît; mais par où
attaquer un aveugle ? M. Holmes se prévalut de la
bonne opinion que Saunderson avait conçue de sa probité, et des lumières de Newton, de Leibniz, de Clarke
et de quelques-uns de ses compatriotes, les premiers
génies du monde, qui tous avaient été frappés des merveilles de la nature, et reconnaissaient un être intelligent
pour son auteur. C'était, sans contredit, ce que le ministre
pouvait objecter de plus fort à Saunderson. Aussi le
bon aveugle convint-il qu'il y aurait de la témérité à nier
ce qu'un homme, tel que Newton, n'avait pas dédaigné
d'admettre : il représenta toutefois au ministre que le
témoignage de Newton n'était pas aussi fort pour lui
que celui de la nature entière pour Newton; et que
Newton croyait sur la parole de Dieu, au lieu que lui
il en était réduit à croire sur la parole de Newton.

« Considérez, monsieur Holmes, ajouta-t-il, combien
il faut que j'aie de confiance en votre parole et dans celle
de Newton. Je ne vois rien, cependant j'admets en tout
un ordre admirable; mais je compte que vous n'en exige-
rez pas davantage. Je vous le cède sur l'état actuel de
l'univers, pour obtenir de vous en revanche la liberté de
penser ce qu'il me plaira de son ancien et premier état,
sur lequel vous n'êtes pas moins aveugle que moi. Vous
n'avez point ici de témoins à m'opposer; et vos yeux ne
vous sont d'aucune ressource. Imaginez donc, si vous
voulez, que l'ordre qui vous frappe a toujours subsisté;
mais laissez-moi croire qu'il n'en est rien; et que si
nous remontions à la naissance des choses et des temps,
et que nous sentissions la matière se mouvoir et le chaos
se débrouiller, nous rencontrerions une multitude d'êtres
informes pour quelques êtres bien organisés. Si je n'ai
rien à vous objecter sur la condition présente des choses,
je puis du moins vous interroger sur leur condition passée.
Je puis vous demander, par exemple, qui vous a dit à
vous, à Leibniz, à Clarke et à Newton, que dans les
premiers instants de la formation des animaux, les uns
n'étaient pas sans tête et les autres sans pieds ? Je puis
vous soutenir que ceux-ci n'avaient point d'estomac, et
ceux-là point d'intestins; que tels à qui un estomac, un
palais et des dents semblaient promettre de la durée, ont
cessé par quelque vice du cœur ou des poumons; que les
monstres se sont anéantis successivement; que toutes les
combinaisons vicieuses de la matière ont disparu, et qu'il
n'est resté que celles où le mécanisme n'impliquait aucune

contradiction importante, et qui pouvaient subsister par elles-mêmes et se perpétuer.

» Cela supposé, si le premier homme eût eu le larynx fermé, eût manqué d'aliments convenables, eût péché par les parties de la génération, n'eût point rencontré sa compagne, on se fût répandu dans une autre espèce, M. Holmes, que devenait le genre humain ? Il eût été enveloppé dans la dépuration générale de l'univers; et cet être orgueilleux qui s'appelle homme, dissous et dispersé entre les molécules de la matière, serait resté, peut-être pour toujours, au nombre des possibles.

» S'il n'y avait jamais eu d'êtres informes, vous ne manqueriez pas de prétendre qu'il n'y en aura jamais, et que je me jette dans des hypothèses chimériques; mais l'ordre n'est pas si parfait, continua Saunderson, qu'il ne paraisse encore de temps en temps des productions monstrueuses. » Puis, se tournant en face du ministre, il ajouta : « Voyez-moi bien, monsieur Holmes, je n'ai point d'yeux. Qu'avions-nous fait à Dieu, vous et moi, l'un pour avoir cet organe, l'autre pour en être privé ? »

Saunderson avait l'air si vrai et si pénétré en prononçant ces mots, que le ministre et le reste de l'assemblée ne purent s'empêcher de partager sa douleur, et se mirent à pleurer amèrement sur lui. L'aveugle s'en aperçut. « Monsieur Holmes, dit-il au ministre, la bonté de votre cœur m'était bien connue, et je suis très sensible à la preuve que vous m'en donnez dans ces derniers moments : mais si je vous suis cher, ne m'enviez pas en mourant la consolation de n'avoir jamais affligé personne. »

Puis reprenant un ton un peu plus ferme, il ajouta : « Je conjecture donc que, dans le commencement où la matière en fermentation faisait éclore l'univers, mes semblables étaient fort communs. Mais pourquoi n'assurerais-je pas des mondes, ce que je crois des animaux ? Combien de mondes estropiés, manqués, se sont dissipés, se reforment et se dissipent peut-être à chaque instant dans des espaces éloignés, où je ne touche point, et où vous ne voyez pas, mais où le mouvement continue et continuera de combiner des amas de matière, jusqu'à ce qu'ils aient obtenu quelque arrangement dans lequel ils puissent persévérer ? O philosophes! transportez-vous donc avec moi sur les confins de cet univers, au-delà du point où je touche, et où vous voyez des êtres organisés; promenez-vous sur ce nouvel océan, et cherchez à travers

ses agitations irrégulières quelques vestiges de cet être
intelligent dont vous admirez ici la sagesse!

» Mais à quoi bon vous tirer de votre élément?
Qu'est-ce que ce monde, monsieur Holmes? Un composé
sujet à des révolutions, qui toutes indiquent une tendance
continuelle à la destruction; une succession rapide d'êtres
qui s'entre-suivent, se poussent et disparaissent; une
symétrie passagère; un ordre momentané. Je vous repro-
chais tout à l'heure d'estimer la perfection des choses
par votre capacité; et je pourrais vous accuser ici d'en
mesurer la durée sur celle de vos jours. Vous jugez de
l'existence successive du monde, comme la mouche
éphémère de la vôtre. Le monde est éternel pour vous,
comme vous êtes éternel pour l'être qui ne vit qu'un
instant. Encore l'insecte est-il plus raisonnable que vous.
Quelle suite prodigieuse de générations d'éphémères
atteste votre éternité! quelle tradition immense! Cependant nous passerons tous, sans qu'on puisse assigner ni
l'étendue réelle que nous occupions, ni le temps précis
que nous aurons duré. Le temps, la matière et l'espace
ne sont peut-être qu'un point. »

Saunderson s'agita dans cet entretien un peu plus que
son état ne le permettait; il lui survint un accès de délire
qui dura quelques heures, et dont il ne sortit que pour
s'écrier: « *O Dieu de Clarke et de Newton, prends pitié de
moi!* » et mourir.

Ainsi finit Saunderson. Vous voyez, madame, que tous
les raisonnements qu'il venait d'objecter au ministre
n'étaient pas mêmes capables de rassurer un aveugle.
Quelle honte pour des gens qui n'ont pas de meilleures
raisons que lui, qui voient, et à qui le spectacle étonnant
de la nature annonce, depuis le lever du soleil jusqu'au
coucher des moindres étoiles, l'existence et la gloire de
son auteur! Ils ont des yeux, dont Saunderson était privé;
mais Saunderson avait une pureté de mœurs et une ingé-
nuité de caractère qui leur manquent. Aussi ils vivent en
aveugles, et Saunderson meurt comme s'il eût vu. La
voix de la nature se fait entendre suffisamment à lui à
travers les organes qui lui restent, et son témoignage n'en
sera que plus fort contre ceux qui se ferment opiniâ-
trement les oreilles et les yeux. Je demanderais volontiers si le vrai Dieu n'était pas encore mieux voilé pour
Socrate par les ténèbres du paganisme, que pour Saunderson par la privation de la vue et du spectacle de la
nature.

Je suis bien fâché, madame, que, pour votre satisfaction et la mienne, on ne nous ait pas transmis de cet illustre aveugle d'autres particularités intéressantes. Il y avait peut-être plus de lumières à tirer de ses réponses que de toutes les expériences qu'on se propose. Il fallait que ceux qui vivaient avec lui fussent bien peu philosophes! J'en excepte cependant son disciple, M. William Inchlif, qui ne vit Saunderson que dans ses derniers moments, et qui nous a recueilli ses dernières paroles, que je conseillerais à tous ceux qui entendent un peu l'anglais de lire en original dans un ouvrage imprimé à Dublin en 1747, et qui a pour titre : *The Life and character of Dr. Nicholas Saunderson late lucasian Professor of the mathematics in the university of Cambridge; by his disciple and friend William Inchlif, Esq.* Ils y remarqueront un agrément, une force, une vérité, une douceur qu'on ne rencontre dans aucun autre écrit, et que je ne me flatte pas de vous avoir rendus, malgré tous les efforts que j'ai faits pour les conserver dans ma traduction.

Il épousa en 1713 la fille de M. Dickons, recteur de Boxworth, dans la contrée de Cambridge; il en eut un fils et une fille qui vivent encore. Les derniers adieux qu'il fit à sa famille sont fort touchants. « Je vais, leur dit-il, où nous irons tous; épargnez-moi des plaintes qui m'attendrissent. Les témoignages de douleur que vous me donnez me rendent plus sensible à ceux qui m'échappent. Je renonce sans peine à une vie qui n'a été pour moi qu'un long désir et qu'une privation continuelle. Vivez aussi vertueux et plus heureux, et apprenez à mourir aussi tranquilles. » Il prit ensuite la main de sa femme, qu'il tint un moment serrée entre les siennes : il se tourna le visage de son côté, comme s'il eût cherché à la voir; il bénit ses enfants, les embrassa tous, et les pria de se retirer, parce qu'ils portaient à son âme des atteintes plus cruelles que les approches de la mort.

L'Angleterre est le pays des philosophes, des curieux, des systématiques; cependant, sans M. Inchlif, nous ne saurions de Saunderson que ce que les hommes les plus ordinaires nous en auraient appris; par exemple, qu'il reconnaissait les lieux où il avait été introduit une fois, au bruit des murs et du pavé, lorsqu'ils en faisaient, et cent autres choses de la même nature qui lui étaient communes avec presque tous les aveugles. Quoi donc! rencontre-t-on si fréquemment en Angleterre des

aveugles du mérite de Saunderson; et y trouve-t-on tous
les jours des gens qui n'aient jamais vu, et qui fassent
des leçons d'optique ?

On cherche à restituer la vue à des aveugles-nés; mais
si l'on y regardait de plus près, on trouverait, je crois,
qu'il y a bien autant à profiter pour la philosophie en
questionnant un aveugle de bon sens. On en apprendrait
comment les choses se passent en lui; on les comparerait
avec la manière dont elles se passent en nous, et l'on
tirerait peut-être de cette comparaison la solution des
difficultés qui rendent la théorie de la vision et des sens
si embarrassée et si incertaine : mais je ne conçois pas,
je l'avoue, ce que l'on espère d'un homme à qui l'on
vient de faire une opération douloureuse sur un organe
très délicat que le plus léger accident dérange, et qui
trompe souvent ceux en qui il est sain et qui jouissent
depuis longtemps de ses avantages. Pour moi, j'écouterais
avec plus de satisfaction sur la théorie des sens un métaphysicien à qui les principes de la physique, les éléments
des mathématiques et la conformation des parties seraient
familiers, qu'un homme sans éducation et sans connaissances, à qui l'on a restitué la vue par l'opération de la
cataracte. J'aurais moins de confiance dans les réponses
d'une personne qui voit pour la première fois, que dans
les découvertes d'un philosophe qui aurait bien médité
son sujet dans l'obscurité; ou, pour vous parler le langage
des poètes, qui se serait crevé les yeux pour connaître
plus aisément comment se fait la vision.

Si l'on voulait donner quelque certitude à des expériences, il faudrait du moins que le sujet fût préparé de
longue main, qu'on l'élevât, et peut-être qu'on le rendît
philosophe : mais ce n'est pas l'ouvrage d'un moment
que de faire un philosophe, même quand on l'est; que
sera-ce quand on ne l'est pas ? C'est bien pis quand on
croit l'être. Il serait très à propos de ne commencer les
observations que longtemps après l'opération. Pour cet
effet, il faudrait traiter le malade dans l'obscurité, et
s'assurer bien que sa blessure est guérie et que ses yeux
sont sains. Je ne voudrais pas qu'on l'exposât d'abord au
grand jour; l'éclat d'une lumière vive nous empêche de
voir; que ne produira-t-il point sur un organe qui doit
être de la dernière sensibilité, n'ayant encore éprouvé
aucune impression qui l'ait émoussé!

Mais ce n'est pas tout : ce serait encore un point fort
délicat, que de tirer parti d'un sujet ainsi préparé; et

que de l'interroger avec assez de finesse pour qu'il ne dît précisément que ce qui se passe en lui. Il faudrait que cet interrogatoire se fît en pleine académie; ou plutôt, afin de n'avoir point de spectateurs superflus, n'inviter à cette assemblée que ceux qui le mériteraient par leurs connaissances philosophiques, anatomiques, etc. Les plus habiles gens et les meilleurs esprits ne seraient pas trop bons pour cela. Préparer et interroger un aveugle-né n'eût point été une occupation indigne des talents réunis de Newton, Descartes, Locke et Leibniz.

Je finirai cette lettre, qui n'est déjà que trop longue, par une question qu'on a proposée il y a longtemps. Quelques réflexions sur l'état singulier de Saunderson m'ont fait voir qu'elle n'avait jamais été entièrement résolue. On suppose un aveugle de naissance qui soit devenu homme fait, et à qui on ait appris à distinguer, par l'attouchement, un cube et un globe de même métal et à peu près de même grandeur, en sorte que quand il touche l'un et l'autre, il puisse dire quel est le cube et quel est le globe. On suppose que, le cube et le globe étant posés sur une table, cet aveugle vienne à jouir de la vue; et l'on demande si en les voyant sans les toucher il pourra les discerner et dire quel est le cube et quel est le globe.

Ce fut M. Molineux qui proposa le premier cette question, et qui tenta de la résoudre. Il prononça que l'aveugle ne distinguerait point le globe du cube; « car, dit-il, quoiqu'il ait appris par expérience de quelle manière le globe et le cube affectent son attouchement, il ne sait pourtant pas encore que ce qui affecte son attouchement de telle ou de telle manière, doit frapper ses yeux de telle ou telle façon; ni que l'angle avancé du cube qui presse sa main d'une manière inégale doive paraître à ses yeux tel qu'il paraît dans le cube. »

Locke, consulté sur cette question, dit : « Je suis tout à fait du sentiment de M. Molineux. Je crois que l'aveugle ne serait pas capable, à la première vue, d'assurer avec quelque confiance quel serait le cube et quel serait le globe, s'il se contentait de les regarder, quoiqu'en les touchant il pût les nommer et les distinguer sûrement par la différence de leurs figures, que l'attouchement lui ferait reconnaître. »

M. l'abbé de Condillac, dont vous avez lu l'*Essai sur l'origine des connaissances humaines*, avec tant de plaisir et d'utilité, et dont je vous envoie, avec cette lettre, l'excellent *Traité des systèmes*, a là-dessus un sentiment particulier. Il est inutile de vous rapporter les raisons sur lesquelles il s'appuie; ce serait vous envier le plaisir de relire un ouvrage où elles sont exposées d'une manière si agréable et si philosophique, que de mon côté je risquerais trop à les déplacer. Je me contenterai d'observer qu'elles tendent toutes à démontrer que l'aveugle-né ne voit rien, ou qu'il voit la sphère et le cube différents; et que les conditions que ces deux corps soient de même métal et à peu près de même grosseur, qu'on a jugé à propos d'insérer dans l'énoncé de la question, y sont superflues, ce qui ne peut être contesté; car, aurait-il pu dire, s'il n'y a aucune liaison essentielle entre la sensation de la vue et celle du toucher, comme MM. Locke et Molineux le prétendent, ils doivent convenir qu'on pourrait voir deux pieds de diamètre à un corps qui disparaîtrait sous la main. M. de Condillac ajoute cependant que si l'aveugle-né voit les corps, en discerne les figures, et qu'il hésite sur le jugement qu'il en doit porter, ce ne peut être que par des raisons métaphysiques assez subtiles, que je vous expliquerai tout à l'heure.

Voilà donc deux sentiments différents sur la même question, et entre des philosophes de la première force. Il semblerait qu'après avoir été maniée par des gens tels que MM. Molineux, Locke et l'abbé de Condillac, elle ne doit plus rien laisser à dire; mais il y a tant de faces sous lesquelles la même chose peut être considérée, qu'il ne serait pas étonnant qu'ils ne les eussent pas toutes épuisées.

Ceux qui ont prononcé que l'aveugle-né distinguerait le cube de la sphère ont commencé par supposer un fait qu'il importerait peut-être d'examiner; savoir si un aveugle-né, à qui l'on abattrait les cataractes, serait en état de se servir de ses yeux dans les premiers moments qui succèdent à l'opération. Ils ont dit seulement : « L'aveugle-né, comparant les idées de sphère et de cube qu'il a reçues par le toucher avec celles qu'il en prend par la vue, connaîtra nécessairement que ce sont les mêmes; et il y aurait en lui bien de la bizarrerie de prononcer que c'est le cube qui lui donne, à la vue, l'idée de sphère et que c'est de la sphère que lui vient l'idée de cube. Il appellera donc sphère et cube, à la vue, ce qu'il appelait sphère et cube au toucher. »

Mais quelle a été la réponse et le raisonnement de leurs antagonistes ? Ils ont supposé pareillement que l'aveugle-né verrait aussitôt qu'il aurait l'organe sain; ils ont imaginé qu'il en était d'un œil à qui l'on abaisse la cataracte, comme d'un bras qui cesse d'être paralytique : il ne faut point d'exercice, à celui-ci pour sentir, ont-ils dit, ni par conséquent à l'autre pour voir; et ils ont ajouté : « Accordons à l'aveugle-né un peu plus de philosophie que vous ne lui en donnez, et après avoir poussé le raisonnement jusqu'où vous l'avez laissé, il continuera; mais cependant, qui m'a assuré qu'en approchant de ces corps et en appliquant mes mains sur eux, ils ne tromperont pas subitement mon attente, et que le cube ne me renverra pas la sensation de la sphère et la sphère celle du cube ? Il n'y a que l'expérience qui puisse m'apprendre s'il y a conformité de relation entre la vue et le toucher : ces deux sens pourraient être en contradiction dans leurs rapports, sans que j'en susse rien; peut-être même croirais-je que ce qui se présente actuellement à ma vue n'est qu'une pure apparence, si l'on ne m'avait informé que ce sont là les mêmes corps que j'ai touchés. Celui-ci me semble, à la vérité, devoir être le corps que j'appelais cube; et celui-là, le corps que j'appelais sphère; mais on ne me demande pas ce qu'il m'en semble, mais ce qui en est; et je ne suis nullement en état de satisfaire à cette dernière question. »

Ce raisonnement, dit l'auteur de l'*Essai sur l'origine des connaissances humaines*, serait très embarrassant pour l'aveugle-né; et je ne vois que l'expérience qui puisse y fournir une réponse. Il y a toute apparence que M. l'abbé de Condillac ne veut parler ici que de l'expérience que l'aveugle-né réitérerait lui-même sur les corps par un second attouchement. Vous sentirez tout à l'heure pourquoi je fais cette remarque. Au reste, cet habile métaphysicien aurait pu ajouter qu'un aveugle-né devait trouver d'autant moins d'absurdité à supposer que deux sens pussent être en contradiction, qu'il imagine qu'un miroir les y met en effet, comme je l'ai remarqué plus haut.

M. de Condillac observe ensuite que M. Molineux a embarrassé la question de plusieurs conditions qui ne peuvent ni prévenir ni lever les difficultés que la métaphysique formerait à l'aveugle-né. Cette observation est d'autant plus juste, que la métaphysique que l'on suppose à l'aveugle-né n'est point déplacée; puisque, dans ces questions philosophiques, l'expérience doit toujours être censée se faire sur un philosophe, c'est-à-dire sur une personne qui saisisse, dans les questions qu'on lui pro-

pose, tout ce que le raisonnement et la condition de ses
organes lui permettent d'y apercevoir.

Voilà, madame, en abrégé, ce qu'on a dit pour et
contre sur cette question; et vous allez voir, par l'examen que j'en ferai, combien ceux qui ont prononcé que
l'aveugle-né verrait les figures et discernerait les corps,
étaient loin de s'apercevoir qu'ils avaient raison; et
combien ceux qui le niaient avaient de raisons de penser
qu'ils n'avaient point tort.

La question de l'aveugle-né, prise un peu plus généralement que M. Molineux ne l'a proposée, en embrasse
deux autres que nous allons considérer séparément. On
peut demander : 1º si l'aveugle-né verra aussitôt que
l'opération de la cataracte sera faite; 2º dans le cas qu'il
voie, s'il verra suffisamment pour discerner les figures;
s'il sera en état de leur appliquer sûrement, en les voyant,
les mêmes noms qu'il leur donnait au toucher; et s'il
aura démonstration que ces noms leur conviennent.

L'aveugle-né verra-t-il immédiatement après la gué-
rison de l'organe ? Ceux qui prétendent qu'il ne verra
point, disent : « Aussitôt que l'aveugle-né jouit de la
faculté de se servir de ses yeux, toute la scène qu'il a
en perspective vient se peindre dans le fond de son œil.
Cette image, composée d'une infinité d'objets rassemblés
dans un fort petit espace, n'est qu'un amas confus de
figures qu'il ne sera pas en état de distinguer les unes
des autres. On est presque d'accord qu'il n'y a que
l'expérience qui puisse lui apprendre à juger de la distance des objets, et qu'il est même dans la nécessité de
s'en approcher, de les toucher, de s'en éloigner, de s'en
rapprocher, et de les toucher encore, pour s'assurer
qu'ils ne font point partie de lui-même, qu'ils sont
étrangers à son être, et qu'il en est tantôt voisin et tantôt
éloigné : pourquoi l'expérience ne lui serait-elle pas
encore nécessaire pour les apercevoir ? Sans l'expérience,
celui qui aperçoit des objets pour la première fois, devrait
s'imaginer, lorsqu'ils s'éloignent de lui, ou lui d'eux,
au-delà de la portée de sa vue, qu'ils ont cessé d'exister;
car il n'y a que l'expérience que nous faisons sur les
objets permanents, et que nous retrouvons à la même
place où nous les avons laissés, qui nous constate leur
existence continuée dans l'éloignement. C'est peut-être
par cette raison que les enfants se consolent si promptement des jouets dont on les prive. On ne peut pas dire
qu'ils les oublient promptement; car si l'on considère

qu'il y a des enfants de deux ans et demi qui savent une partie considérable des mots d'une langue, et qu'il leur en coûte plus pour les prononcer que pour les retenir, on sera convaincu que le temps de l'enfance est celui de la mémoire. Ne serait-il pas plus naturel de supposer qu'alors les enfants s'imaginent que ce qu'ils cessent de voir a cessé d'exister, d'autant plus que leur joie paraît mêlée d'admiration lorsque les objets qu'ils ont perdus de vue viennent à reparaître ? Les nourrices les aident à acquérir la notion de la durée des êtres absents, en les exerçant à un petit jeu qui consiste à se couvrir et à se montrer subitement le visage. Ils ont, de cette manière, cent fois en un quart d'heure, l'expérience que ce qui cesse de paraître ne cesse pas d'exister. D'où il s'ensuit que c'est à l'expérience que nous devons la notion de l'existence continuée des objets ; que c'est par le toucher que nous acquérons celle de leur distance ; qu'il faut peut-être que l'œil apprenne à voir, comme la langue à parler ; qu'il ne serait pas étonnant que le secours d'un des sens fût nécessaire à l'autre, et que le toucher, qui nous assure de l'existence des objets hors de nous lorsqu'ils sont présents à nos yeux, est peut-être encore le sens à qui il est réservé de nous constater, je ne dis pas leurs figures et autres modifications, mais même leur présence. »

On ajoute à ces raisonnements les fameuses expériences de Cheselden. Le jeune homme à qui cet habile chirurgien abaissa les cataractes ne distingua, de longtemps, ni grandeurs, ni distances, ni situations, ni même figures. Un objet d'un pouce mis devant son œil, et qui lui cachait une maison, lui paraissait aussi grand que la maison. Il avait tous les objets sur les yeux ; et ils lui semblaient appliqués à cet organe, comme les objets du tact le sont à la peau. Il ne pouvait distinguer ce qu'il avait jugé rond, à l'aide de ses mains, d'avec ce qu'il avait jugé angulaire ; ni discerner avec les yeux si ce qu'il avait senti être en haut ou en bas, était en effet en haut ou en bas. Il parvint, mais ce ne fut pas sans peine, à apercevoir que sa maison était plus grande que sa chambre, mais nullement à concevoir comment l'œil pouvait lui donner cette idée. Il lui fallut un grand nombre d'expériences réitérées, pour s'assurer que la peinture représentait des corps solides : et quand il se fut bien convaincu, à force de regarder des tableaux, que ce n'étaient point des surfaces seulement qu'il voyait, il y porta la main, et fut bien étonné de ne rencontrer qu'un plan uni et sans aucune saillie : il demanda alors quel était le trompeur, du sens du toucher, ou du sens de la vue. Au reste la peinture fit le même effet sur les sauvages, la première fois qu'ils en virent : ils prirent des figures peintes pour des hommes vivants, les interrogèrent, et furent tout surpris de n'en recevoir aucune réponse : cette erreur ne venait certainement pas en eux du peu d'habitude de voir.

Mais que répondre aux autres difficultés ? qu'en effet, l'œil expérimenté d'un homme fait voir mieux les objets que l'organe imbécile et tout neuf d'un enfant ou d'un aveugle de naissance à qui l'on vient d'abaisser les cataractes. Voyez, madame, toutes les preuves qu'en donne M. l'abbé de Condillac, à la fin de son *Essai sur l'origine des connaissances humaines*, où il se propose en objection les expériences faites par Cheselden, et rapportées par M. de Voltaire. Les effets de la lumière sur un œil qui en est affecté pour la première fois, et les conditions requises dans les humeurs de cet organe, la cornée, le cristallin, etc., y sont exposés avec beaucoup de netteté et de force, et ne permettent guère de douter que la vision ne se fasse très imparfaitement dans un enfant qui ouvre les yeux pour la première fois, ou dans un aveugle à qui l'on vient de faire l'opération.

Il faut donc convenir que nous devons apercevoir dans les objets une infinité de choses que l'enfant ni l'aveugle-né n'y aperçoivent point, quoiqu'elles se peignent également au fond de leurs yeux; que ce n'est pas assez que les objets nous frappent, qu'il faut encore que nous soyons attentifs à leurs impressions; que, par conséquent, on ne voit rien la première fois qu'on se sert de ses yeux; qu'on n'est affecté, dans les premiers instants de la vision, que d'une multitude de sensations confuses qui ne se débrouillent qu'avec le temps et par la réflexion habituelle sur ce qui se passe en nous; que c'est l'expérience seule qui nous apprend à comparer les sensations avec ce qui les occasionne; que les sensations n'ayant rien qui ressemble essentiellement aux objets, c'est à l'expérience à nous instruire sur des analogies qui semblent être de pure institution : en un mot, on ne peut douter que le toucher ne serve beaucoup à donner à l'œil une connaissance précise de la conformité de l'objet avec la représentation qu'il en reçoit; et je pense que, si tout ne s'exécutait pas dans la nature par des lois infiniment générales; si, par exemple, la piqûre de certains corps durs était douloureuse, et celle d'autres corps accompagnée de plaisir, nous mourrions sans avoir recueilli la cent millionième partie des expériences nécessaires à la conservation de notre corps et à notre bien-être.

Cependant je ne pense nullement que l'œil ne puisse s'instruire, ou, s'il est permis de parler ainsi, s'expérimenter de lui-même. Pour s'assurer, par le toucher, de l'existence et de la figure des objets, il n'est pas nécessaire de voir : pourquoi faudrait-il toucher, pour s'assurer des mêmes choses par la vue ? Je connais tous les avantages du tact; et je ne les ai pas déguisés, quand il a été question de Saunderson ou de l'aveugle du Puiseaux; mais je ne lui ai point reconnu celui-là. On conçoit sans peine que l'usage d'un des sens peut être perfectionné et accéléré par les observations de l'autre; mais nullement qu'il y ait entre leurs fonctions une dépendance essentielle. Il y a assurément dans les corps des qualités que nous n'y apercevrions jamais sans l'attouchement : c'est le tact qui nous instruit de la présence de certaines modifications insensibles aux yeux, qui ne les aperçoivent que quand ils ont été avertis par ce sens; mais ces services sont réciproques; et dans ceux qui ont la vue plus fine que le toucher, c'est le premier de ces sens qui instruit l'autre de l'existence d'objets et de modifications qui lui échapperaient par leur petitesse. Si l'on vous plaçait à votre insu, entre le pouce et l'index, un papier ou quelque autre substance unie, mince et flexible, il n'y aurait que votre œil qui pût nous informer que le contact de ces doigts ne se ferait pas immédiatement. J'observerai, en passant, qu'il serait infiniment plus difficile de tromper là-dessus un aveugle qu'une personne qui a l'habitude de voir.

Un œil vivant et animé aurait sans doute de la peine à s'assurer que les objets extérieurs ne font pas partie de lui-même; qu'il en est tantôt voisin, tantôt éloigné; qu'ils sont figurés; qu'ils sont plus grands les uns que les autres; qu'ils ont de la profondeur, etc., mais je ne doute nullement qu'il ne les vît, à la longue, et qu'il ne les vît assez distinctement pour en discerner au moins les limites grossières. Le nier, ce serait perdre de vue la destination des organes; ce serait oublier les principaux phénomènes de la vision; ce serait se dissimuler qu'il n'y a point de peintre assez habile pour approcher de la

beauté et de l'exactitude des miniatures qui se peignent
dans le fond de nos yeux; qu'il n'y a rien de plus précis
que la ressemblance de la représentation à l'objet représenté; que la toile de ce tableau n'est pas si petite; qu'il
n'y a nulle confusion entre les figures; qu'elles occupent
à peu près un demi-pouce en carré; et que rien n'est
plus difficile d'ailleurs que d'expliquer comment le
toucher s'y prendrait pour enseigner à l'œil à apercevoir,
si l'usage de ce dernier organe était absolument impossible sans le secours du premier.

Mais je ne m'en tiendrai pas à de simples présomp-
tions; et je demanderai si c'est le toucher qui apprend à
l'œil à distinguer les couleurs. Je ne pense pas qu'on
accorde au tact un privilège aussi extraordinaire : cela
supposé, il s'ensuit que, si l'on présente à un aveugle à
qui l'on vient de restituer la vue un cube noir, avec une
sphère rouge, sur un grand fond blanc, il ne tardera pas
à discerner les limites de ces figures.

Il tardera, pourrait-on me répondre, tout le temps
nécessaire aux humeurs de l'œil, pour se disposer convenablement; à la cornée, pour prendre la convexité
requise à la vision; à la prunelle, pour être susceptible de
la dilatation et du rétrécissement qui lui sont propres;
aux filets de la rétine, pour n'être ni trop ni trop peu
sensibles à l'action de la lumière; au cristallin, pour
s'exercer aux mouvements en avant et en arrière qu'on
lui soupçonne; ou aux muscles, pour bien remplir leurs
fonctions; aux nerfs optiques, pour s'accoutumer à
transmettre la sensation; au globe entier de l'œil, pour
se prêter à toutes les dispositions nécessaires, et à toutes
les parties qui le composent, pour concourir à l'exécution de cette miniature dont on tire si bon parti, quand il
s'agit de démontrer que l'œil s'expérimentera de lui-
même.

J'avoue que, quelque simple que soit le tableau que je
viens de présenter à l'œil d'un aveugle-né, il n'en dis-
tinguera bien les parties que quand l'organe réunira
toutes les conditions précédentes; mais c'est peut-être
l'ouvrage d'un moment; et il ne serait pas difficile, en
appliquant le raisonnement qu'on vient de m'objecter
à une machine un peu composée, à une montre, par
exemple, de démontrer, par le détail de tous les mouvements qui se passent dans le tambour, la fusée, les roues,
les palettes, le balancier, etc., qu'il faudrait quinze jours
à l'aiguille pour parcourir l'espace d'une seconde. Si on

répond que ces mouvements sont simultanés, je répliquerai qu'il en est peut-être de même de ceux qui se passent dans l'œil, quand il s'ouvre pour la première fois, et de la plupart des jugements qui se font en conséquence. Quoi qu'il en soit de ces conditions qu'on exige dans l'œil pour être propre à la vision, il faut convenir que ce n'est point le toucher qui les lui donne, que cet organe les acquiert de lui-même; et que, par conséquent, il parviendra à distinguer les figures qui s'y peindront, sans le secours d'un autre sens.

Mais encore une fois, dira-t-on, quand en sera-t-il là ? Peut-être beaucoup plus promptement qu'on ne pense. Lorsque nous allâmes visiter ensemble le cabinet du Jardin Royal, vous souvenez-vous, madame, de l'expérience du miroir concave, et de la frayeur que vous eûtes lorsque vous vîtes venir à vous la pointe d'une épée avec la même vitesse que la pointe de celle que vous aviez à la main s'avançait vers la surface du miroir ? Cependant vous aviez l'habitude de rapporter au-delà des miroirs tous les objets qui s'y peignent. L'expérience n'est donc ni si nécessaire, ni même si infaillible qu'on le pense, pour apercevoir les objets ou leurs images où elles sont. Il n'y a pas jusqu'à votre perroquet qui ne m'en fournît une preuve. La première fois qu'il se vit dans une glace, il en approcha son bec, et ne se rencontrant pas lui-même qu'il prenait pour son semblable, il fit le tour de la glace. Je ne veux point donner au témoignage du perroquet plus de force qu'il n'en a ; mais c'est une expérience animale où le préjugé ne peut avoir de part.

Cependant, m'assurât-on qu'un aveugle-né n'a rien distingué pendant deux mois, je n'en serai point étonné. J'en conclurai seulement la nécessité de l'expérience de l'organe, mais nullement la nécessité de l'attouchement pour l'expérimenter. Je n'en comprendrai que mieux combien il importe de laisser séjourner quelque temps un aveugle-né dans l'obscurité, quand on le destine à des observations; de donner à ses yeux la liberté de s'exercer, ce qu'il fera plus commodément dans les ténèbres qu'au grand jour; et de ne lui accorder, dans les expériences, qu'une espèce de crépuscule, ou de se ménager, du moins dans le lieu où elles se feront, l'avantage d'augmenter ou de diminuer à discrétion la clarté. On ne me trouvera que plus disposé à convenir que ces sortes d'expériences seront toujours très difficiles et très incertaines; et que le plus court en effet, quoiqu'en apparence le plus long, c'est de prémunir le sujet de connaissances philosophiques qui le rendent capable de comparer les deux conditions par lesquelles il a passé, et de nous informer de la différence de l'état d'un aveugle et de celui d'un homme qui voit. Encore une fois, que peut-on attendre de précis de celui qui n'a aucune habitude de réfléchir et de revenir sur lui-même ; et qui, comme l'aveugle de Cheselden, ignore les avantages de la vue, au point d'être insensible à sa disgrâce, et de ne point imaginer que la perte de ce sens nuise beaucoup à ses plaisirs ? Saunderson, à qui l'on ne refusera pas le titre de philosophe, n'avait certainement pas la même indifférence ; et je doute fort qu'il eût été de l'avis de l'auteur de l'excellent *Traité sur les systèmes*. Je soupçonnerais volontiers le dernier de ces philosophes d'avoir donné lui-même dans un petit système, lorsqu'il a prétendu « que, si la vie de l'homme n'avait été qu'une sensation non interrompue de plaisir ou de douleur, heureux dans un cas sans aucune idée de malheur, malheureux dans l'autre sans aucune idée de bonheur, il eût joui ou souffert ; et que, comme si telle eût été sa nature, il n'eût point regardé autour de lui pour découvrir si quelque être veillait à sa conservation, ou travaillait à lui nuire ; que c'est le passage alternatif de l'un à l'autre de ces états, qui l'a fait réfléchir, etc. »

Croyez-vous, madame, qu'en descendant de perceptions claires en perceptions claires (car c'est la manière de philosopher de l'auteur, et la bonne), il fût jamais parvenu à cette conclusion ? Il n'en est pas du bonheur et du malheur ainsi que des ténèbres et de la lumière : l'un ne consiste pas dans une privation pure et simple de l'autre. Peut-être eussions-nous assuré que le bonheur ne nous était pas moins essentiel que l'existence et la pensée, si nous en eussions joui sans aucune altération ; mais je n'en peux pas dire autant du malheur. Il eût été très naturel de le regarder comme un état forcé, de se sentir innocent, de se croire pourtant coupable, et d'accuser ou d'excuser la nature, tout comme on fait.

M. l'abbé de Condillac pense-t-il qu'un enfant ne se plaigne quand il souffre, que parce qu'il n'a pas souffert sans relâche depuis qu'il est au monde ? S'il me répond « qu'exister et souffrir ce serait la même chose pour celui qui aurait toujours souffert ; et qu'il n'imaginerait pas qu'on pût suspendre sa douleur sans détruire son existence » ; peut-être, lui répliquerai-je, l'homme malheureux sans interruption n'eût pas dit : Qu'ai-je fait, pour

souffrir ? Mais qui l'eût empêché de dire : Qu'ai-je fait,
pour exister ? Cependant je ne vois pas pourquoi il n'eût
point eu les deux verbes synonymes, *j'existe* et *je souffre*,
l'un pour la prose, et l'autre pour la poésie, comme nous
avons les deux expressions, *je vis* et *je respire*. Au reste,
vous remarquerez mieux que moi, madame, que cet
endroit de M. l'abbé de Condillac est très parfaitement
écrit; et je crains bien que vous ne disiez, en comparant
ma critique avec sa réflexion, que vous aimez mieux
encore une erreur de Montaigne qu'une vérité de Char-
ron.

Et toujours des écarts, me direz-vous. Oui, madame,
c'est la condition de notre traité. Voici maintenant mon
opinion sur les deux questions précédentes. Je pense
que la première fois que les yeux de l'aveugle-né s'ou-
vriront à la lumière, il n'apercevra rien du tout; qu'il
faudra quelque temps à son œil pour s'expérimenter :
mais qu'il s'expérimentera de lui-même, et sans le
secours du toucher; et qu'il parviendra non seulement à
distinguer les couleurs, mais à discerner au moins les
limites grossières des objets. Voyons à présent, si, dans
la supposition qu'il acquît cette aptitude dans un temps
fort court, ou qu'il l'obtînt en agitant ses yeux dans les
ténèbres où l'on aurait eu l'attention de l'enfermer et de
l'exhorter à cet exercice pendant quelque temps après
l'opération et avant les expériences; voyons, dis-je, s'il
reconnaîtrait à la vue les corps qu'il aurait touchés, et
s'il serait en état de leur donner les noms qui leur
conviennent. C'est la dernière question qui me reste à
résoudre.

Pour m'en acquitter d'une manière qui vous plaise,
puisque vous aimez la méthode, je distinguerai plusieurs
sortes de personnes, sur lesquelles les expériences
peuvent se tenter. Si ce sont des personnes grossières,
sans éducation, sans connaissances, et non préparées, je
pense que, quand l'opération de la cataracte aura parfaitement détruit le vice de l'organe, et que l'œil sera sain,
les objets s'y peindront très distinctement; mais que, ces
personnes n'étant habituées à aucune sorte de raisonnement, ne sachant ce que c'est que sensation, idée, n'étant
point en état de comparer les représentations qu'elles
ont reçues par le toucher avec celles qui leur viennent
par les yeux, elles prononceront : Voilà un rond, voilà
un carré, sans qu'il y ait de fond à faire sur leur jugement; ou même elles conviendront ingénument qu'elles

n'aperçoivent rien, dans les objets qui se présentent à leur vue, qui ressemble à ce qu'elles ont touché.

Il y a d'autres personnes qui, comparant les figures qu'elles apercevront aux corps, avec celles qui faisaient impression sur leurs mains, et appliquant par la pensée leur attouchement sur ces corps qui sont à distance, diront de l'un que c'est un carré, et de l'autre que c'est un cercle, mais sans trop savoir pourquoi ; la comparaison des idées qu'elles ont prises par le toucher, avec celles qu'elles reçoivent par la vue, ne se faisant pas en elles assez distinctement pour les convaincre de la vérité de leur jugement.

Je passerai, madame, sans digression, à un métaphysicien sur lequel on tenterait l'expérience. Je ne doute nullement que celui-ci ne raisonnât dès l'instant où il commencerait à apercevoir distinctement les objets, comme s'il les avait vus toute sa vie ; et qu'après avoir comparé les idées qui lui viennent par les yeux avec celles qu'il a prises par le toucher, il ne dît, avec la même assurance que vous et moi : « Je serais fort tenté de croire que c'est ce corps que j'ai toujours nommé cercle, et que c'est celui-ci que j'ai toujours appelé carré ; mais je me garderai bien de prononcer que cela est ainsi. Qui m'a révélé que, si j'en approchais, ils ne disparaîtraient pas sous mes mains ? Que sais-je si les objets de ma vue sont destinés à être aussi les objets de mon attouchement ? J'ignore si ce qui m'est visible est palpable ; mais quand je ne serais point dans cette incertitude, et que je croirais sur la parole des personnes qui m'environnent, que ce que je vois est réellement ce que j'ai touché, je n'en serais guère plus avancé. Ces objets pourraient fort bien se transformer dans mes mains, et me renvoyer, par le tact, des sensations toutes contraires à celles que j'en éprouve par la vue. Messieurs, ajouterait-il, ce corps me semble le carré, celui-ci, le cercle ; mais je n'ai aucune science qu'ils soient tels au toucher qu'à la vue. »

Si nous substituons un géomètre au métaphysicien, Saunderson à Locke, il dira comme lui que, s'il en croit ses yeux, des deux figures qu'il voit, c'est celle-là qu'il appelait carré, et celle-ci qu'il appelait cercle : « car je m'aperçois, ajouterait-il, qu'il n'y a que la première où je puisse arranger les fils et placer les épingles à grosse tête, qui marquaient les points angulaires du carré ; et qu'il n'y a que la seconde à laquelle je puisse inscrire ou circonscrire les fils qui m'étaient nécessaires pour

démontrer les propriétés du cercle. Voilà donc un cercle!
voilà donc un carré! Mais, aurait-il continué avec Locke,
peut-être que, quand j'appliquerai mes mains sur ces
figures, elles se transformeront l'une en l'autre, de
manière que la même figure pourrait me servir à démontrer aux aveugles les propriétés du cercle, et à ceux qui
voient, les propriétés du carré. Peut-être que je verrais
un carré, et qu'en même temps je sentirais un cercle.
Non, aurait-il repris; je me trompe. Ceux à qui je démon-
trais les propriétés du cercle et du carré n'avaient pas
les mains sur mon abaque, et ne touchaient pas les fils
que j'avais tendus et qui limitaient mes figures; cependant ils me comprenaient. Ils ne voyaient donc pas un
carré, quand je sentais un cercle; sans quoi nous ne nous
fussions jamais entendus; je leur eusse tracé une figure,
et démontré les propriétés d'une autre; je leur eusse
donné une ligne droite pour un arc de cercle, et un arc
de cercle pour une ligne droite. Mais puisqu'ils m'entendaient tous, tous les hommes voient donc les uns
comme les autres : je vois donc carré ce qu'ils voyaient
carré, et circulaire ce qu'ils voyaient circulaire. Ainsi
voilà ce que j'ai toujours nommé carré, et voilà ce que
j'ai toujours nommé cercle. »

J'ai substitué le cercle à la sphère, et le carré au cube,
parce qu'il y a toute apparence que nous ne jugeons des
distances que par l'expérience; et conséquemment, que
celui qui se sert de ses yeux pour la première fois, ne
voit que des surfaces, et qu'il ne sait ce que c'est que
saillie; la saillie d'un corps à la vue consistant en ce que
quelques-uns de ses points paraissent plus voisins de
nous que les autres.

Mais quand l'aveugle-né jugerait, dès la première fois
qu'il voit, de la saillie et de la solidité des corps, et qu'il
serait en état de discerner, non seulement le cercle du
carré, mais aussi la sphère du cube, je ne crois pas pour
cela qu'il en fût de même de tout autre objet plus composé.
Il y a bien de l'apparence que l'aveugle-née de M. de
Réaumur a discerné les couleurs les unes des autres;
mais il y a trente à parier contre un qu'elle a prononcé
au hasard sur la sphère et sur le cube; et je tiens pour
certain, qu'à moins d'une révélation, il ne lui a pas été
possible de reconnaître ses gants, sa robe de chambre
et son soulier. Ces objets sont chargés d'un si grand
nombre de modifications; il y a si peu de rapport entre
leur forme totale et celle des membres qu'ils sont desti-

nés à orner ou à couvrir, que c'eût été un problème
cent fois plus embarrassant pour Saunderson, de déterminer l'usage de son bonnet carré, que pour MM. d'A-
lembert ou Clairaut, celui de retrouver l'usage de ses
tables.

Saunderson n'eût pas manqué de supposer qu'il règne
un rapport géométrique entre les choses et leur usage;
et conséquemment il eût aperçu, en deux ou trois analogies, que sa calotte était faite pour sa tête : il n'y a là
aucune forme arbitraire qui tendît à l'égarer. Mais
qu'eût-il pensé des angles et de la houppe de son bonnet
carré ? A quoi bon cette touffe ? pourquoi plutôt
quatre angles que six ? se fût-il demandé; et ces deux modifications, qui sont pour nous une affaire d'ornement,
auraient été pour lui la source d'une foule de raisonnements absurdes, ou plutôt l'occasion d'une excellente
satire de ce que nous appelons le bon goût.

En pesant mûrement les choses, on avouera que la
différence qu'il y a entre une personne qui a toujours vu,
mais à qui l'usage d'un objet est inconnu, et celle qui
connaît l'usage d'un objet, mais qui n'a jamais vu, n'est
pas à l'avantage de celle-ci : cependant, croyez-vous,
madame, que si l'on vous montrait aujourd'hui, pour la
première fois, une garniture, vous parvinssiez jamais à
deviner que c'est un ajustement, et que c'est un ajustement de tête ? Mais, s'il est d'autant plus difficile à un
aveugle-né, qui voit pour la première fois, de bien juger
des objets selon qu'ils ont un plus grand nombre de
formes; qui l'empêcherait de prendre un observateur
tout habillé et immobile dans un fauteuil placé devant
lui, pour un meuble ou pour une machine, et un arbre
dont l'air agiterait les feuilles et les branches, pour un
être se mouvant, animé et pensant ? Madame, combien
nos sens nous suggèrent de choses; et que nous aurions
de peine, sans nos yeux, à supposer qu'un bloc de
marbre ne pense ni ne sent !

Il reste donc pour démontré, que Saunderson aurait
été assuré qu'il ne se trompait pas dans le jugement qu'il
venait de porter du cercle et du carré seulement; et qu'il
y a des cas où le raisonnement et l'expérience des autres
peuvent éclairer la vue sur la relation du toucher, et
l'instruire que ce qui est tel pour l'œil, est tel aussi pour
le tact.

Il n'en serait cependant pas moins essentiel, lorsqu'on
se proposerait la démonstration de quelque proposition

d'éternelle vérité, comme on les appelle, d'éprouver sa démonstration, en la privant du témoignage des sens; car vous apercevez bien, madame, que, si quelqu'un prétendait vous prouver que la projection de deux lignes parallèles sur un tableau doit se faire par deux lignes convergentes, parce que deux allées paraissent telles, il oublierait que la proposition est vraie pour un aveugle comme pour lui.

Mais la supposition précédente de l'aveugle-né en suggère deux autres, l'une d'un homme qui aurait vu dès sa naissance, et qui n'aurait point eu le sens du toucher, et l'autre d'un homme en qui les sens de la vue et du toucher seraient perpétuellement en contradiction. On pourrait demander du premier, si, lui restituant le sens qui lui manque, et lui ôtant le sens de la vue par un bandeau, il reconnaîtrait les corps au toucher. Il est évident que la géométrie, en cas qu'il en fût instruit, lui fournirait un moyen infaillible de s'assurer si les témoignages des deux sens sont contradictoires ou non. Il n'aurait qu'à prendre le cube ou la sphère entre ses mains, en démontrer à quelqu'un les propriétés, et prononcer, si on le comprend, qu'on voit cube ce qu'il sent cube, et que c'est par conséquent le cube qu'il tient. Quant à celui qui ignorerait cette science, je pense qu'il ne lui serait pas plus facile de discerner, par le toucher, le cube de la sphère, qu'à l'aveugle de M. Molineux de les distinguer par la vue.

A l'égard de celui en qui les sensations de la vue et du toucher seraient perpétuellement contradictoires, je ne sais ce qu'il penserait des formes, de l'ordre, de la symétrie, de la beauté, de la laideur, etc. Selon toute apparence, il serait, par rapport à ces choses, ce que nous sommes relativement à l'étendue et à la durée réelle des êtres. Il prononcerait, en général, qu'un corps a une forme; mais il devrait avoir du penchant à croire que ce n'est ni celle qu'il voit ni celle qu'il sent. Un tel homme pourrait bien être mécontent de ses sens; mais ses sens ne seraient ni contents ni mécontents des objets. S'il était tenté d'en accuser un de fausseté, je crois que ce serait au toucher qu'il s'en prendrait. Cent circonstances l'inclineraient à penser que la figure des objets change plutôt par l'action de ses mains sur eux, que par celle des objets sur ses yeux. Mais en conséquence de ces préjugés, la différence de dureté et de mollesse, qu'il observerait dans les corps, serait fort embarrassante pour lui.

Mais de ce que nos sens ne sont pas en contradiction
sur les formes, s'ensuit-il qu'elles nous soient mieux
connues ? Qui nous a dit que nous n'avons point affaire
à de faux témoins ? Nous jugeons pourtant. Hélas !
madame, quand on a mis les connaissances humaines
dans la balance de Montaigne, on n'est pas éloigné de
prendre sa devise. Car, que savons-nous ? ce que c'est
que la matière ? nullement; ce que c'est que l'esprit et
la pensée ? encore moins; ce que c'est que le mouvement,
l'espace et la durée ? point du tout; des vérités géométriques ? interrogez des mathématiciens de bonne foi, et
ils vous avoueront que leurs propositions sont toutes
identiques, et que tant de volumes sur le cercle, par
exemple, se réduisent à nous répéter en cent mille façons
différentes que c'est une figure où toutes les lignes tirées
du centre à la circonférence sont égales. Nous ne savons
donc presque rien; cependant combien d'écrits dont les
auteurs ont tous prétendu savoir quelque chose ! Je ne
devine pas pourquoi le monde ne s'ennuie point de lire
et de ne rien apprendre, à moins que ce ne soit par la
même raison qu'il y a deux heures que j'ai l'honneur de
vous entretenir, sans m'ennuyer et sans vous rien dire.
    Je suis avec un profond respect,

                    Madame,

        Votre très humble et très obéissant serviteur,

                                            ★★★

ADDITIONS
A LA
LETTRE SUR LES AVEUGLES

Je vais jeter sans ordre, sur le papier, des phénomènes qui ne m'étaient pas connus, et qui serviront de preuves ou de réfutation à quelques paragraphes de ma *Lettre sur les aveugles*. Il y a trente-trois à trente-quatre ans que je l'écrivais ; je l'ai relue sans partialité, et je n'en suis pas trop mécontent. Quoique la première partie m'en ait paru plus intéressante que la seconde, et que j'aie senti que celle-là pouvait être un peu plus étendue et celle-ci beaucoup plus courte, je les laisserai l'une et l'autre telles que je les ai faites, de peur que la page du jeune homme n'en devînt pas meilleure par la retouche du vieillard. Ce qu'il y a de supportable dans les idées et dans l'expression, je crois que je le chercherais inutilement aujourd'hui, et je crains d'être également incapable de corriger ce qu'il y a de répréhensible. Un peintre célèbre de nos jours emploie les dernières années de sa vie à gâter les chefs-d'œuvre qu'il a produits dans la vigueur de son âge. Je ne sais si les défauts qu'il y remarque sont réels ; mais le talent qui les rectifierait, ou il ne l'eut jamais s'il porta les imitations de la nature jusqu'aux dernières limites de l'art, ou, s'il le posséda, il le perdit, parce que tout ce qui est de l'homme dépérit avec l'homme. Il vient un temps où le goût donne des conseils dont on reconnaît la justesse, mais qu'on n'a plus la force de suivre.

C'est la pusillanimité qui naît de la conscience de la faiblesse, ou la paresse, qui est une des suites de la faiblesse et de la pusillanimité, qui me dégoûte d'un travail qui nuirait plus qu'il ne servirait à l'amélioration de mon ouvrage.

Solve senescentem mature sanus equum, ne
Peccet ad extremum ridendus, et ilia ducat.

HORAT, *Epistolar*. lib. I, *Epist*. I, vers. 8, 9.

PHÉNOMÈNES

I. Un artiste qui possède à fond la théorie de son art,
et qui ne le cède à aucun autre dans la pratique, m'a
assuré que c'était par le tact et non par la vue qu'il
jugeait de la rondeur des pignons; qu'il les faisait rouler
doucement entre le pouce et l'index, et que c'était par
l'impression successive qu'il discernait de légères inégalités qui échapperaient à son œil.

II. On m'a parlé d'un aveugle qui connaissait au toucher quelle était la couleur des étoffes.

III. J'en pourrais citer un qui nuance des bouquets
avec cette délicatesse dont J.-J. Rousseau se piquait
lorsqu'il confiait à ses amis, sérieusement ou par plaisanterie, le dessein d'ouvrir une école où il donnerait
leçons aux bouquetières de Paris.

IV. La ville d'Amiens a vu un appareilleur aveugle
conduire un atelier nombreux avec autant d'intelligence
que s'il avait joui de ses yeux.

V. L'usage des yeux ôtait à un clairvoyant la sûreté
de la main; pour se raser la tête, il écartait le miroir et
se plaçait devant une muraille nue. L'aveugle qui n'aperçoit pas le danger en devient d'autant plus intrépide, et
je ne doute point qu'il ne marchât d'un pas plus ferme
sur des planches étroites et élastiques qui formeraient
un pont sur un précipice. Il y a peu de personnes dont
l'aspect des grandes profondeurs n'obscurcisse la vue.

VI. Qui est-ce qui n'a pas connu ou entendu parler
du fameux Daviel ? J'ai assisté plusieurs fois à ses opérations. Il avait abattu la cataracte à un forgeron qui avait
contracté cette maladie au feu continuel de son fourneau;
et pendant les vingt-cinq années qu'il avait cessé de voir,
il avait pris une telle habitude de s'en rapporter au toucher, qu'il fallait le maltraiter pour l'engager à se servir
du sens qui lui avait été restitué; Daviel lui disait en le
frappant : Veux-tu regarder, bourreau!... Il marchait, il
agissait; tout ce que nous faisons les yeux ouverts, il le
faisait, lui, les yeux fermés.

On pourrait en conclure que l'œil n'est pas aussi utile

à nos besoins ni aussi essentiel à notre bonheur qu'on serait tenté de le croire. Quelle est la chose du monde dont une longue privation qui n'est suivie d'aucune douleur ne nous rendît la perte indifférente, si le spectacle de la nature n'avait plus de charme pour l'aveugle de Daviel ? La vue d'une femme qui nous serait chère ? je n'en crois rien, quelle que soit la conséquence du fait que je vais raconter. On s'imagine que si l'on avait passé un long temps sans voir, on ne se lasserait point de regarder ; cela n'est pas vrai. Quelle différence entre la cécité momentanée et la cécité habituelle !

VII. La bienfaisance de Daviel conduisait, de toutes les provinces du royaume dans son laboratoire, des malades indigents qui venaient implorer son secours, et sa réputation y appelait une assemblée curieuse, instruite et nombreuse. Je crois que nous en faisions partie le même jour M. Marmontel et moi. Le malade était assis ; voilà sa cataracte enlevée ; Daviel pose sa main sur des yeux qu'il venait de rouvrir à la lumière. Une femme âgée, debout à côté de lui, montrait le plus vif intérêt au succès de l'opération ; elle tremblait de tous ses membres à chaque mouvement de l'opérateur. Celui-ci lui fait signe d'approcher, et la place à genoux en face de l'opéré ; il éloigne ses mains, le malade ouvre les yeux, il voit, il s'écrie : Ah ! c'est ma mère !... Je n'ai jamais entendu un cri plus pathétique ; il me semble que je l'entends encore. La vieille femme s'évanouit, les larmes coulent des yeux des assistants, et les aumônes tombent de leurs bourses.

VIII. De toutes les personnes qui ont été privées de la vue presque en naissant, la plus surprenante qui ait existé et qui existera, c'est Mlle Mélanie de Salignac, parente de M. de La Fargue, lieutenant général des armées du roi, vieillard qui vient de mourir âgé de quatre-vingt-onze ans, couvert de blessures et comblé d'honneurs ; elle est fille de Mme de Blacy, qui vit encore, et qui ne passe pas un jour sans regretter une enfant qui faisait le bonheur de sa vie et l'admiration de toutes ses connaissances. Mme de Blacy est une femme distinguée par l'éminence de ses qualités morales, et qu'on peut interroger sur la vérité de mon récit. C'est sous sa dictée que je recueille de la vie de Mlle de Salignac les particularités qui ont pu m'échapper à moi-même pendant un commerce d'intimité qui a commencé avec elle et avec sa famille en 1760, et qui a duré jusqu'en 1765, l'année de sa mort.

Elle avait un grand fonds de raison, une douceur charmante, une finesse peu commune dans les idées, et de la naïveté. Une de ses tantes invitait sa mère à venir l'aider à plaire à dix-neuf ostrogoths qu'elle avait à dîner, et sa nièce disait : *Je ne conçois rien à ma chère tante; pourquoi plaire à dix-neuf ostrogoths ? Pour moi, je ne veux plaire qu'à ceux que j'aime.*

Le son de la voix avait pour elle la même séduction ou la même répugnance que la physionomie pour celui qui voit. Un de ses parents, receveur général des finances, eut avec la famille un mauvais procédé auquel elle ne s'attendait pas, et elle disait avec surprise : *Qui l'aurait cru d'une voix aussi douce ?* Quand elle entendait chanter, elle distinguait des voix *brunes* et des voix *blondes*.

Quand on lui parlait, elle jugeait de la taille par la direction du son qui la frappait de haut en bas si la personne était grande, ou de bas en haut si la personne était petite.

Elle ne se souciait pas de voir; et un jour que je lui en demandais la raison : « C'est, me répondit-elle, que je n'aurais que mes yeux, au lieu que je jouis des yeux de tous; c'est que, par cette privation, je deviens un objet continuel d'intérêt et de commisération; à tout moment on m'oblige, et à tout moment je suis reconnaissante; hélas! si je voyais, bientôt on ne s'occuperait plus de moi. »

Les erreurs de la vue en avaient beaucoup diminué le prix pour elle. « Je suis, disait-elle, à l'entrée d'une longue allée; il y a à son extrémité quelque objet : l'un de vous le voit en mouvement; l'autre le voit en repos; l'un dit que c'est un animal, l'autre que c'est un homme, et il se trouve, en approchant, que c'est une souche. Tous ignorent si la tour qu'ils aperçoivent au loin est ronde ou carrée. Je brave les tourbillons de la poussière, tandis que ceux qui m'entourent ferment les yeux et deviennent malheureux, quelquefois pendant une journée entière, pour ne les avoir pas assez tôt fermés. Il ne faut qu'un atome imperceptible pour les tourmenter cruellement... » A l'approche de la nuit, elle disait que *notre règne allait finir, et que le sien allait commencer.* On conçoit que, vivant dans les ténèbres avec l'habitude d'agir et de penser pendant une nuit éternelle, l'insomnie qui nous est si fâcheuse ne lui était pas même importune.

Elle ne me pardonnait pas d'avoir écrit que les aveugles,

privés des symptômes de la souffrance, devaient être cruels. « Et vous croyez, me disait-elle, que vous entendez la plainte comme moi ? — Il y a des malheureux qui savent souffrir sans se plaindre. — Je crois, ajoutait-elle, que je les aurais bientôt devinés, et que je ne les plaindrais que davantage. »

Elle était passionnée pour la lecture et folle de musique. « Je crois, disait-elle, que je ne me lasserais jamais d'entendre chanter ou jouer supérieurement d'un instrument, et quand ce bonheur-là serait, dans le ciel, le seul dont on jouirait, je ne serais pas fâchée d'y être. Vous pensiez juste lorsque vous assuriez de la musique que c'était le plus violent des beaux-arts, sans en excepter ni la poésie ni l'éloquence; que Racine même ne s'exprimait pas avec la délicatesse d'une harpe; que sa mélodie était lourde et monotone en comparaison de celle de l'instrument, et que vous aviez souvent désiré de donner à votre style la force et la légèreté des tons de Bach. Pour moi, c'est la plus belle des langues que je connaisse. Dans les langues parlées, mieux on prononce, plus on articule ses syllabes; au lieu que, dans la langue musicale, les sons les plus éloignés du grave à l'aigu et de l'aigu au grave, sont filés et se suivent imperceptiblement; c'est pour ainsi dire une seule et longue syllabe, qui à chaque instant varie d'inflexion et d'expression. Tandis que la mélodie porte cette syllabe à mon oreille, l'harmonie en exécute sans confusion, sur une multitude d'instruments divers, deux, trois, quatre ou cinq, qui toutes concourent à fortifier l'expression de la première, et les parties chantantes sont autant d'interprètes dont je me passerais bien, lorsque le symphoniste est homme de génie et qu'il sait donner du caractère à son chant.

» C'est surtout dans le silence de la nuit que la musique est expressive et délicieuse.

» Je me persuade que, distraits par leurs yeux, ceux qui voient ne peuvent ni l'écouter ni l'entendre comme je l'écoute et je l'entends. Pourquoi l'éloge qu'on m'en fait me paraît-il pauvre et faible ? pourquoi n'en ai-je jamais pu parler comme je sens ? pourquoi m'arrêtai-je au milieu de mon discours, cherchant des mots qui peignent ma sensation sans les trouver ? Est-ce qu'ils ne seraient pas encore inventés ? Je ne saurais comparer l'effet de la musique qu'à l'ivresse que j'éprouve lorsque, après une longue absence, je me précipite entre les bras de ma mère, que la voix me manque, que les membres me tremblent, que les larmes coulent, que les genoux se dérobent sous moi; je suis comme si j'allais mourir de plaisir. »

Elle avait le sentiment le plus délicat de la pudeur; et quand je lui en demandai la raison : « C'est, me disait-elle, l'effet des discours de ma mère; elle m'a répété tant de fois que la vue de certaines parties du corps invitait au vice; et je vous avouerais, si j'osais, qu'il y a peu de temps que je l'ai comprise, et que peut-être il a fallu que je cessasse d'être innocente. »

Elle est morte d'une tumeur aux parties naturelles intérieures, qu'elle n'eut jamais le courage de déclarer.

Elle était, dans ses vêtements, dans son linge, sur sa personne, d'une netteté d'autant plus recherchée que, ne voyant point, elle n'était jamais assez sûre d'avoir fait ce qu'il fallait pour épargner à ceux qui voient le dégoût du vice opposé.

Si on lui versait à boire, elle connaissait, au bruit de la liqueur en tombant, lorsque son verre était assez plein. Elle prenait les aliments avec une circonspection et une adresse surprenantes.

Elle faisait quelquefois la plaisanterie de se placer devant un miroir pour se parer, et d'imiter toutes les mines d'une coquette qui se met sous les armes. Cette petite singerie était d'une vérité à faire éclater de rire.

On s'était étudié, dès sa plus tendre jeunesse, à perfectionner les sens qui lui restaient, et il est incroyable jusqu'où l'on y avait réussi. Le tact lui avait appris, sur les formes des corps, des singularités souvent ignorées de ceux qui avaient les meilleurs yeux.

Elle avait l'ouïe et l'odorat exquis; elle jugeait, à l'impression de l'air, de l'état de l'atmosphère, si le temps était nébuleux ou serein, si elle marchait dans une place ou dans une rue, dans une rue ou dans un cul-de-sac, dans un lieu ouvert ou dans un lieu fermé, dans un vaste appartement ou dans une chambre étroite.

Elle mesurait l'espace circonscrit par le bruit de ses pieds ou le retentissement de sa voix. Lorsqu'elle avait parcouru une maison, la topographie lui en restait dans la tête, au point de prévenir les autres sur les petits dangers auxquels ils s'exposaient : *Prenez garde*, disait-elle, *ici la porte est trop basse; là vous trouverez une marche.*

Elle remarquait dans les voix une variété qui nous est

inconnue, et lorsqu'elle avait entendu parler une personne quelquefois, c'était pour toujours.

Elle était peu sensible aux charmes de la jeunesse et peu choquée des rides de la vieillesse. Elle disait qu'il n'y avait que les qualités du cœur et de l'esprit qui fussent à redouter pour elle. C'était encore un des avantages de la privation de la vue, surtout pour les femmes. *Jamais*, disait-elle, *un bel homme ne me fera tourner la tête.*

Elle était confiante. Il était si facile, et il eût été si honteux de la tromper! C'était une perfidie inexcusable de lui laisser croire qu'elle était seule dans un appartement.

Elle n'avait aucune sorte de terreur panique; elle ressentait rarement de l'ennui; la solitude lui avait appris à se suffire à elle-même. Elle avait observé que dans les voitures publiques, en voyage, à la chute du jour, on devenait silencieux. *Pour moi*, disait-elle, *je n'ai pas besoin de voir ceux avec qui j'aime à m'entretenir.*

De toutes les qualités, c'étaient le jugement sain, la douceur et la gaîté qu'elle prisait le plus.

Elle parlait peu et écoutait beaucoup : *Je ressemble aux oiseaux*, disait-elle, *j'apprends à chanter dans les ténèbres.*

En rapprochant ce qu'elle avait entendu d'un jour à l'autre, elle était révoltée de la contradiction de nos jugements : il lui paraissait presque indifférent d'être louée ou blâmée par des êtres si inconséquents.

On lui avait appris à lire avec des caractères découpés. Elle avait la voix agréable; elle chantait avec goût; elle aurait volontiers passé sa vie au concert ou à l'Opéra; il n'y avait guère que de la musique bruyante qui l'ennuyât. Elle dansait à ravir; elle jouait très bien du pardessus de viole, et elle avait tiré de ce talent un moyen de se faire rechercher des jeunes personnes de son âge en apprenant les danses et les contredanses à la mode.

C'était la plus aimée de ses frères et de ses sœurs. « Et voilà, disait-elle, ce que je dois encore à mes infirmités : on s'attache à moi par les soins qu'on m'a rendus et par les efforts que j'ai faits pour les reconnaître et pour les mériter. Ajoutez que mes frères et mes sœurs n'en sont point jaloux. Si j'avais des yeux, ce serait aux dépens de mon esprit et de mon cœur. J'ai tant de raisons pour être bonne! que deviendrais-je si je perdais l'intérêt que j'inspire ? »

Dans le renversement de la fortune de ses parents, la

perte des maîtres fut la seule qu'elle regretta; mais ils avaient tant d'attachement et d'estime pour elle, que le géomètre et le musicien la supplièrent avec instance d'accepter leurs leçons gratuitement, et elle disait à sa mère : *Maman, comment faire ? ils ne sont pas riches, et ils ont besoin de tout leur temps.*

On lui avait appris la musique par des caractères en relief qu'on plaçait sur des lignes éminentes à la surface d'une grande table. Elle lisait ces caractères avec la main; elle les exécutait sur son instrument, et en très peu de temps d'étude elle avait appris à jouer en partie la pièce la plus longue et la plus compliquée.

Elle possédait les éléments d'astronomie, d'algèbre et de géométrie. Sa mère, qui lui lisait le livre de l'abbé de La Caille, lui demandait quelquefois si elle entendait cela : *Tout courant,* lui répondait-elle.

Elle prétendait que la géométrie était la vraie science des aveugles, parce qu'elle appliquait fortement, et qu'on n'avait besoin d'aucun secours pour se perfectionner. *Le géomètre,* ajoutait-elle, *passe presque toute sa vie les yeux fermés.*

J'ai vu les cartes sur lesquelles elle avait étudié la géographie. Les parallèles et les méridiens sont des fils de laiton; les limites des royaumes et des provinces sont distinguées par de la broderie en fil, en soie et en laine plus ou moins forte; les fleuves, les rivières et les montagnes, par des têtes d'épingles plus ou moins grosses; et les villes plus ou moins considérables, par des gouttes de cire inégales.

Je lui disais un jour : « Mademoiselle, figurez-vous un cube. — Je le vois. — Imaginez au centre du cube un point. — C'est fait. — De ce point tirez des lignes droites aux angles; eh bien, vous aurez divisé le cube. — En six pyramides égales, ajouta-t-elle d'elle-même, ayant chacune les mêmes faces, la base du cube et la moitié de sa hauteur. — Cela est vrai; mais où voyez-vous cela ? — Dans ma tête, comme vous. »

J'avoue que je n'ai jamais conçu nettement comment elle figurait dans sa tête sans colorer. Ce cube s'était-il formé par la mémoire des sensations du toucher ? Son cerveau était-il devenu une espèce de main sous laquelle les substances se réalisaient ? S'était-il établi à la longue une sorte de correspondance entre deux sens divers ? Pourquoi ce commerce n'existe-t-il pas en moi, et ne vois-je rien dans ma tête si je ne colore pas ? Qu'est-ce que l'imagination d'un aveugle ? Ce phénomène n'est pas si facile à expliquer qu'on le croirait.

Elle écrivait avec une épingle dont elle piquait sa feuille de papier tendue sur un cadre traversé de deux lames parallèles et mobiles, qui ne laissaient entre elles d'espace vide que l'intervalle d'une ligne à une autre. La même écriture servait pour la réponse, qu'elle lisait en promenant le bout de son doigt sur les petites inégalités que l'épingle ou l'aiguille avait pratiquées au *verso* du papier.

Elle lisait un livre qu'on n'avait tiré que d'un côté. Prault en avait imprimé de cette manière à son usage.

On a inséré dans le *Mercure* du temps une de ses lettres.

Elle avait eu la patience de copier à l'aiguille l'*Abrégé historique* du président Hénault, et j'ai obtenu de madame de Blacy, sa mère, ce singulier manuscrit.

Voici un fait qu'on croira difficilement, malgré le témoignage de toute sa famille, le mien et celui de vingt personnes qui existent encore; c'est que, d'une pièce de douze à quinze vers, si on lui donnait la première lettre et le nombre de lettres dont chaque mot était composé, elle retrouvait la pièce proposée, quelque bizarre qu'elle fût. J'en ai fait l'expérience sur des amphigouris de Collé. Elle rencontrait quelquefois une expression plus heureuse que celle du poète.

Elle enfilait avec célérité l'aiguille la plus mince, en étendant son fil ou sa soie sur l'index de la main gauche, et en tirant, par l'œil de l'aiguille placée perpendiculairement, ce fil ou cette soie avec une pointe très déliée.

Il n'y avait aucune sorte de petits ouvrages qu'elle n'exécutât; ourlets, bourses pleines ou symétrisées, à jour, à différents dessins, à diverses couleurs; jarretières, bracelets, colliers avec de petits grains de verre, comme des lettres d'imprimerie. Je ne doute point qu'elle n'eût été un bon compositeur d'imprimerie : qui peut le plus, peut le moins.

Elle jouait parfaitement le reversis, le médiateur et le quadrille; elle rangeait elle-même ses cartes, qu'elle distinguait par de petits traits qu'elle reconnaissait au toucher, et que les autres ne reconnaissaient ni à la vue ni au toucher. Au reversis, elle changeait de signes aux as, surtout à l'as de carreau et au quinola. La seule attention qu'on eût pour elle, c'était de nommer la carte en la jouant. S'il arrivait que le quinola fût menacé, il se répandait sur sa lèvre un léger sourire qu'elle ne pouvait contenir, quoiqu'elle en connût l'indiscrétion.

Elle était fataliste; elle pensait que les efforts que nous faisons pour échapper à notre destinée ne servaient qu'à nous y conduire. Quelles étaient ses opinions religieuses ? je les ignore; c'est un secret qu'elle gardait par respect pour une mère pieuse.

Il ne me reste plus qu'à vous exposer ses idées sur l'écriture, le dessin, la gravure, la peinture; je ne crois pas qu'on en puisse avoir de plus voisines de la vérité; c'est ainsi, j'espère, qu'on en jugera par l'entretien qui suit, et dont je suis un interlocuteur. Ce fut elle qui parla la première.

« Si vous aviez tracé sur ma main, avec un stylet, un nez, une bouche, un homme, une femme, un arbre, certainement je ne m'y tromperais pas; je ne désespérerais pas même, si le trait était exact, de reconnaître la personne dont vous m'auriez fait l'image : ma main deviendrait pour moi un miroir sensible; mais grande est la différence de sensibilité entre cette toile et l'organe de la vue.

» Je suppose donc que l'œil soit une toile vivante d'une délicatesse infinie; l'air frappe l'objet, de cet objet il est réfléchi vers l'œil, qui en reçoit une infinité d'impressions diverses selon la nature, la forme, la couleur de l'objet et peut-être les qualités de l'air qui me sont inconnues et que vous ne connaissez pas plus que moi; et c'est par la variété de ces sensations qu'il vous est peint.

» Si la peau de ma main égalait la délicatesse de vos yeux, je verrais par ma main comme vous voyez par vos yeux, et je me figure quelquefois qu'il y a des animaux qui sont aveugles, et qui n'en sont pas moins clairvoyants.

— Et le miroir ?

— Si tous les corps ne sont pas autant de miroirs, c'est par quelque défaut dans leur contexture, qui éteint la réflexion de l'air. Je tiens d'autant plus à cette idée, que l'or, l'argent, le fer, le cuivre polis, deviennent propres à réfléchir l'air, et que l'eau trouble et la glace rayée perdent cette propriété.

» C'est la variété de la sensation, et par conséquent de la propriété de réfléchir l'air dans les matières que vous employez, qui distingue l'écriture du dessin, le dessin de l'estampe, et l'estampe du tableau.

» L'écriture, le dessin, l'estampe, le tableau d'une seule couleur, sont autant de camaïeux.

— Mais lorsqu'il n'y a qu'une couleur, on ne devrait discerner que cette couleur.

— C'est apparemment le fond de la toile, l'épaisseur de la couleur et la manière de l'employer qui introduisent dans la réflexion de l'air une variété correspondante à celle des formes. Au reste, ne m'en demandez plus rien, je ne suis pas plus savante que cela.

— Et je me donnerais bien de la peine inutile pour vous en apprendre davantage. »

Je ne vous ai pas dit, sur cette jeune aveugle, tout ce que j'en aurais pu observer en la fréquentant davantage et en l'interrogeant avec du génie; mais je vous donne ma parole d'honneur que je ne vous en ai rien dit que d'après mon expérience.

Elle mourut, âgée de vingt-deux ans. Avec une mémoire immense et une pénétration égale à sa mémoire, quel chemin n'aurait-elle pas fait dans les sciences, si des jours plus longs lui avaient été accordés! Sa mère lui lisait l'histoire, et c'était une fonction également utile et agréable pour l'une et l'autre.

SUPPLÉMENT AU VOYAGE DE BOUGAINVILLE

OU

DIALOGUE ENTRE A. ET B.

SUR L'INCONVÉNIENT D'ATTACHER
DES IDÉES MORALES A CERTAINES ACTIONS PHYSIQUES QUI N'EN COMPORTENT PAS

> At quanto meliora monet, pugnantiaque istis,
> Dives opis Natura suæ, tu si modo recte
> Dispensare velis, ac non fugienda petendis
> Immiscere! Tuo vitio rerumne labores,
> Nil referre putas ?
>
> HORAT, *Sat.* lib. I, *sat.* II, vers 73 et seq.

I

JUGEMENT DU VOYAGE DE BOUGAINVILLE

A. Cette superbe voûte étoilée, sous laquelle nous revînmes hier, et qui semblait nous garantir un beau jour, ne nous a pas tenu parole.

B. Qu'en savez-vous ?

A. Le brouillard est si épais qu'il nous dérobe la vue des arbres voisins.

B. Il est vrai; mais si ce brouillard, qui ne reste dans la partie inférieure de l'atmosphère que parce qu'elle est suffisamment chargée d'humidité, retombe sur la terre ?

A. Mais si au contraire il traverse l'éponge, s'élève et gagne la région supérieure où l'air est moins dense, et peut, comme disent les chimistes, n'être pas saturé ?

B. Il faut attendre.

A. En attendant, que faites-vous ?

B. Je lis.

A. Toujours ce voyage de Bougainville ?

B. Toujours.

A. Je n'entends rien à cet homme-là. L'étude des mathématiques, qui suppose une vie sédentaire, a rempli le temps de ses jeunes années; et voilà qu'il passe subitement d'une condition méditative et retirée au métier actif, pénible, errant et dissipé de voyageur.

B. Nullement. Si le vaisseau n'est qu'une maison flottante, et si vous considérez le navigateur qui traverse des espaces immenses, resserré et immobile dans une enceinte assez étroite, vous le verrez faisant le tour du globe sur une planche, comme vous et moi le tour de l'univers sur notre parquet.

A. Une autre bizarrerie apparente, c'est la contradiction du caractère de l'homme et de son entreprise. Bougainville a le goût des amusements de la société; il aime les femmes, les spectacles, les repas délicats; il se prête au tourbillon du monde d'aussi bonne grâce qu'aux inconstances de l'élément sur lequel il a été ballotté. Il est aimable et gai : c'est un véritable Français lesté, d'un bord, d'un traité de calcul différentiel et intégral, et de l'autre, d'un voyage autour du globe.

B. Il fait comme tout le monde : il se dissipe après s'être appliqué, et s'applique après s'être dissipé.

A. Que pensez-vous de son Voyage ?

B. Autant que j'en puis juger sur une lecture assez superficielle, j'en rapporterais l'avantage à trois points principaux : une meilleure connaissance de notre vieux domicile et de ses habitants; plus de sûreté sur des mers qu'il a parcourues la sonde à la main, et plus de correction dans nos cartes géographiques. Bougainville est parti avec les lumières nécessaires et les qualités propres à ses vues : de la philosophie, du courage, de la véracité; un coup d'œil prompt qui saisit les choses et abrège le temps des observations; de la circonspection, de la patience; le désir de voir, de s'éclairer et d'instruire; la science du calcul, des mécaniques, de la géométrie, de l'astronomie; et une teinture suffisante d'histoire naturelle.

A. Et son style ?

B. Sans apprêt; le ton de la chose, de la simplicité et de la clarté, surtout quand on possède la langue des marins.

A. Sa course a été longue ?

B. Je l'ai tracée sur ce globe. Voyez-vous cette ligne de points rouges ?

A. Qui part de Nantes ?

B. Et court jusqu'au détroit de Magellan, entre dans la mer Pacifique, serpente entre ces îles qui forment l'archipel immense qui s'étend des Philippines à la Nouvelle-Hollande, rase Madagascar, le cap de Bonne-Espérance, se prolonge dans l'Atlantique, suit les côtes d'Afrique, et rejoint l'une de ses extrémités à celle d'où le navigateur s'est embarqué.

A. Il a beaucoup souffert ?

B. Tout navigateur s'expose, et consent de s'exposer aux périls de l'air, du feu, de la terre et de l'eau : mais qu'après avoir erré des mois entiers entre la mer et le ciel, entre la mort et la vie ; après avoir été battu des tempêtes, menacé de périr par naufrage, par maladie, par disette d'eau et de pain, un infortuné vienne, son bâtiment fracassé, tomber, expirant de fatigue et de misère, aux pieds d'un monstre d'airain qui lui refuse ou lui fait attendre impitoyablement les secours les plus urgents, c'est une dureté !...

A. Un crime digne de châtiment.

B. Une de ces calamités sur lesquelles le voyageur n'a pas compté.

A. Et n'a pas dû compter. Je croyais que les puissances européennes n'envoyaient, pour commandants dans leurs possessions d'outre-mer, que des âmes honnêtes, des hommes bienfaisants, des sujets remplis d'humanité, et capables de compatir...

B. C'est bien là ce qui les soucie !

A. Il y a des choses singulières dans ce voyage de Bougainville.

B. Beaucoup.

A. N'assure-t-il pas que les animaux sauvages s'approchent de l'homme, et que les oiseaux viennent se poser sur lui, lorsqu'ils ignorent le péril de cette familiarité ?

B. D'autres l'avaient dit avant lui.

A. Comment explique-t-il le séjour de certains animaux dans des îles séparées de tout continent par des intervalles de mer effrayants ? Qui est-ce qui a porté là le loup, le renard, le chien, le cerf, le serpent ?

B. Il n'explique rien ; il atteste le fait.

A. Et vous, comment l'expliquez-vous ?

B. Qui sait l'histoire primitive de notre globe ? Combien d'espaces de terre, maintenant isolés, étaient autrefois continus ? Le seul phénomène sur lequel on pourrait former quelque conjecture, c'est la direction de la masse des eaux qui les a séparés.

A. Comment cela ?

B. Par la forme générale des arrachements. Quelque jour nous nous amuserons de cette recherche, si cela nous convient. Pour ce moment, voyez-vous cette île qu'on appelle *des Lanciers ?* A l'inspection du lieu qu'elle occupe sur le globe, il n'est personne qui ne se demande qui est-ce qui a placé là des hommes ? quelle communication les liait autrefois avec le reste de leur espèce ? que deviennent-ils en se multipliant sur un espace qui n'a pas plus d'une lieue de diamètre ?

A. Ils s'exterminent et se mangent; et de là peut-être une première époque très ancienne et très naturelle de l'anthropophagie, insulaire d'origine.

B. Ou la multiplication y est limitée par quelque loi superstitieuse; l'enfant y est écrasé dans le sein de sa mère foulée sous les pieds d'une prêtresse.

A. Ou l'homme égorgé expire sous le couteau d'un prêtre; ou l'on a recours à la castration des mâles...

B. A l'infibulation des femelles; et de là tant d'usages d'une cruauté nécessaire et bizarre, dont la cause s'est perdue dans la nuit des temps, et met les philosophes à la torture. Une observation assez constante, c'est que les institutions surnaturelles et divines se fortifient et s'éternisent, en se transformant, à la longue, en lois civiles et nationales; et que les institutions civiles et nationales se consacrent, et dégénèrent en préceptes surnaturels et divins.

A. C'est une des palingénésies les plus funestes.

B. Un brin de plus qu'on ajoute au lien dont on nous serre.

A. N'était-il pas au Paraguay au moment même de l'expulsion des jésuites ?

B. Oui.

A. Qu'en dit-il ?

B. Moins qu'il n'en pourrait dire; mais assez pour nous apprendre que ces cruels Spartiates en jaquette noire en usaient avec leurs esclaves indiens, comme les Lacédémoniens avec leurs ilotes; les avaient condamnés à un travail assidu; s'abreuvaient de leurs sueurs, ne leur avaient laissé aucun droit de propriété; les tenaient sous l'abrutissement de la superstition; en exigeaient une vénération profonde; marchaient au milieu d'eux, un fouet à la main, et en frappaient indistinctement tout âge et tout sexe. Un siècle de plus, et leur expulsion devenait impossible, ou le motif d'une longue guerre entre ces moines et le souverain, dont ils avaient secoué peu à peu l'autorité.

A. Et ces Patagons, dont le docteur Maty et l'académicien La Condamine ont tant fait de bruit ?

B. Ce sont de bonnes gens qui viennent à vous, et qui vous embrassent en criant *Chaoua;* forts, vigoureux, toutefois n'excédant pas la hauteur de cinq pieds cinq à six pouces; n'ayant d'énorme que leur corpulence, la grosseur de leur tête, et l'épaisseur de leurs membres.

Né avec le goût du merveilleux, qui exagère tout autour de lui, comment l'homme laisserait-il une juste proportion aux objets, lorsqu'il a, pour ainsi dire, à justifier le chemin qu'il a fait, et la peine qu'il s'est donnée pour les aller voir au loin ?

A. Et des sauvages, qu'en pense-t-il ?

B. C'est, à ce qu'il paraît, de la défense journalière contre les bêtes féroces, qu'il tient le caractère cruel qu'on lui remarque quelquefois. Il est innocent et doux, partout où rien ne trouble son repos et sa sécurité. Toute guerre naît d'une prétention commune à la même propriété. L'homme civilisé a une prétention commune, avec l'homme civilisé, à la possession d'un champ dont ils occupent les deux extrémités; et ce champ devient un sujet de dispute entre eux.

A. Et le tigre a une prétention commune, avec l'homme sauvage, à la possession d'une forêt; et c'est la première des prétentions, et la cause de la plus ancienne des guerres... Avez-vous vu le Tahitien que Bougainville avait pris sur son bord, et transporté dans ce pays-ci ?

B. Je l'ai vu; il s'appelait Aotourou. A la première terre qu'il aperçut, il la prit pour la patrie du voyageur; soit qu'on lui en eût imposé sur la longueur du voyage; soit que, trompé naturellement par le peu de distance apparente des bords de la mer qu'il habitait, à l'endroit où le ciel semble confiner avec l'horizon, il ignorât la véritable étendue de la terre. L'usage commun des femmes était si bien établi dans son esprit, qu'il se jeta sur la première Européenne qui vint à sa rencontre, et qu'il se disposait très sérieusement à lui faire la politesse de Tahiti. Il s'ennuyait parmi nous. L'alphabet tahitien n'ayant ni *b*, ni *c*, ni *d*, ni *f*, ni *g*, ni *q*, ni *x*, ni *y*, ni *z*, il ne put jamais apprendre à parler notre langue, qui offrait à ses organes inflexibles trop d'articulations étrangères et de sons nouveaux. Il ne cessait de soupirer après son pays, et je n'en suis pas étonné. Le voyage de Bougainville est le seul qui m'ait donné du goût pour une autre contrée que la mienne; jusqu'à cette lecture, j'avais pensé qu'on n'était nulle part aussi bien que chez soi; résultat que je croyais le même pour chaque habitant de la terre; effet naturel de l'attrait du sol; attrait qui tient aux commodités dont on jouit, et qu'on n'a pas la même certitude de retrouver ailleurs.

A. Quoi! vous ne croyez pas l'habitant de Paris aussi convaincu qu'il croisse des épis dans la campagne de Rome que dans les champs de la Beauce ?

B. Ma foi, non. Bougainville a renvoyé Aotourou, après avoir pourvu aux frais et à la sûreté de son retour.

A. O Aotourou! que tu seras content de revoir ton père, ta mère, tes frères, tes sœurs, tes compatriotes, que leur diras-tu de nous ?

B. Peu de choses, et qu'ils ne croiront pas.

A. Pourquoi peu de choses ?

B. Parce qu'il en a peu conçues, et qu'il ne trouvera dans sa langue aucun terme correspondant à celles dont il a quelques idées.

A. Et pourquoi ne le croiront-ils pas ?

B. Parce qu'en comparant leurs mœurs aux nôtres, ils aimeront mieux prendre Aotourou pour un menteur, que de nous croire si fous.

A. En vérité ?

B. Je n'en doute pas : la vie sauvage est si simple, et nos sociétés sont des machines si compliquées! Le Tahitien touche à l'origine du monde, et l'Européen touche à sa vieillesse. L'intervalle qui le sépare de nous est plus grand que la distance de l'enfant qui naît à l'homme décrépit. Il n'entend rien à nos usages, à nos lois, ou il n'y voit que des entraves déguisées sous cent formes diverses, entraves qui ne peuvent qu'exciter l'indignation et le mépris d'un être en qui le sentiment de la liberté est le plus profond des sentiments.

A. Est-ce que vous donneriez dans la fable de Tahiti ?

B. Ce n'est point une fable; et vous n'auriez aucun doute sur la sincérité de Bougainville, si vous connaissiez le supplément de son voyage.

A. Et où trouve-t-on ce supplément ?

B. Là, sur cette table.

A. Est-ce que vous ne me le confierez pas ?

B. Non; mais nous pourrons le parcourir ensemble, si vous voulez.

A. Assurément, je le veux. Voilà le brouillard qui retombe, et l'azur du ciel qui commence à paraître. Il semble que mon lot soit d'avoir tort avec vous jusque dans les moindres choses; il faut que je sois bien bon pour vous pardonner une supériorité aussi continue!

B. Tenez, tenez, lisez : passez ce préambule qui ne signifie rien, et allez droit aux adieux que fit un des chefs de l'île à nos voyageurs. Cela vous donnera quelque notion de l'éloquence de ces gens-là.

A. Comment Bougainville a-t-il compris ces adieux prononcés dans une langue qu'il ignorait ?

B. Vous le saurez.

II

LES ADIEUX DU VIEILLARD

C'est un vieillard qui parle. Il était père d'une famille nombreuse. A l'arrivée des Européens, il laissa tomber des regards de dédain sur eux, sans marquer ni étonnement, ni frayeur, ni curiosité. Ils l'abordèrent; il leur tourna le dos et se retira dans sa cabane. Son silence et son souci ne décelaient que trop sa pensée : il gémissait en lui-même sur les beaux jours de son pays éclipsés. Au départ de Bougainville, lorsque les habitants accouraient en foule sur le rivage, s'attachaient à ses vêtements, serraient ses camarades entre leurs bras, et pleuraient, ce vieillard s'avança d'un air sévère, et dit :

« Pleurez, malheureux Tahitiens! pleurez; mais que ce soit de l'arrivée, et non du départ de ces hommes ambitieux et méchants : un jour, vous les connaîtrez mieux. Un jour, ils reviendront, le morceau de bois que vous voyez attaché à la ceinture de celui-ci, dans une main, et le fer qui pend au côté de celui-là, dans l'autre, vous enchaîner, vous égorger, ou vous assujettir à leurs extravagances et à leurs vices; un jour vous servirez sous eux, aussi corrompus, aussi vils, aussi malheureux qu'eux. Mais je me console; je touche à la fin de ma carrière; et la calamité que je vous annonce, je ne la verrai point. O Tahitiens! ô mes amis! vous auriez un moyen d'échapper à un funeste avenir; mais j'aimerais mieux mourir que de vous en donner le conseil. Qu'ils s'éloignent, et qu'ils vivent. »

Puis s'adressant à Bougainville, il ajouta : « Et toi, chef des brigands qui t'obéissent, écarte promptement ton vaisseau de notre rive : nous sommes innocents, nous sommes heureux ; et tu ne peux que nuire à notre bonheur. Nous suivons le pur instinct de la nature ; et tu as tenté d'effacer de nos âmes son caractère. Ici tout est à tous ; et tu nous as prêché je ne sais quelle distinction du *tien* et du *mien*. Nos filles et nos femmes nous sont communes ; tu as partagé ce privilège avec nous ; et tu es venu allumer en elles des fureurs inconnues. Elles sont devenues folles dans tes bras ; tu es devenu féroce entre les leurs. Elles ont commencé à se haïr ; vous vous êtes égorgés pour elles ; et elles nous sont revenues teintes de votre sang. Nous sommes libres ; et voilà que tu as enfoui dans notre terre le titre de notre futur esclavage. Tu n'es ni un dieu, ni un démon : qui es-tu donc, pour faire des esclaves ? Orou ! toi qui entends la langue de ces hommes-là, dis-nous à tous, comme tu me l'as dit à moi-même, ce qu'ils ont écrit sur cette lame de métal : *Ce pays est à nous*. Ce pays est à toi ! et pourquoi ? parce que tu y as mis le pied ? Si un Tahitien débarquait un jour sur vos côtes, et qu'il gravât sur une de vos pierres ou sur l'écorce d'un de vos arbres : *Ce pays est aux habitants de Tahiti*, qu'en penserais-tu ? Tu es le plus fort ! Et qu'est-ce que cela fait ? Lorsqu'on t'a enlevé une des méprisables bagatelles dont ton bâtiment est rempli, tu t'es récrié, tu t'es vengé ; et dans le même instant tu as projeté au fond de ton cœur le vol de toute une contrée ! Tu n'es pas esclave : tu souffrirais plutôt la mort que de l'être, et tu veux nous asservir ! Tu crois donc que le Tahitien ne sait pas défendre sa liberté et mourir ? Celui dont tu veux t'emparer comme de la brute, le Tahitien est ton frère. Vous êtes deux enfants de la nature ; quel droit as-tu sur lui qu'il n'ait pas sur toi ? Tu es venu ; nous sommes-nous jetés sur ta personne ? avons-nous pillé ton vaisseau ? t'avons-nous saisi et exposé aux flèches de nos ennemis ? t'avons-nous associé dans nos champs au travail de nos animaux ? Nous avons respecté notre image en toi. Laisse-nous nos mœurs ; elles sont plus sages et plus honnêtes que les tiennes ; nous ne voulons point troquer ce que tu appelles notre ignorance, contre tes inutiles lumières. Tout ce qui nous est nécessaire et bon, nous le possédons. Sommes-nous dignes de mépris, parce que nous n'avons pas su nous faire des besoins superflus ? Lorsque nous avons faim, nous avons de quoi manger; lorsque nous avons froid, nous avons de quoi nous vêtir. Tu es entré dans nos cabanes, qu'y manque-t-il, à ton avis ? Poursuis jusqu'où tu voudras ce que tu appelles commodités de la vie; mais permets à des êtres sensés de s'arrêter, lorsqu'ils n'auraient à obtenir, de la continuité de leurs pénibles efforts, que des biens imaginaires. Si tu nous persuades de franchir l'étroite limite du besoin, quand finirons-nous de travailler ? Quand jouirons-nous ? Nous avons rendu la somme de nos fatigues annuelles et journalières la moindre qu'il était possible, parce que rien ne nous paraît préférable au repos. Va dans ta contrée t'agiter, te tourmenter tant que tu voudras; laisse-nous reposer : ne nous entête ni de tes besoins factices, ni de tes vertus chimériques. Regarde ces hommes; vois comme ils sont droits, sains et robustes. Regarde ces femmes; vois comme elles sont droites, saines, fraîches et belles. Prends cet arc, c'est le mien; appelle à ton aide un, deux, trois, quatre de tes camarades, et tâchez de le tendre. Je le tends moi seul. Je laboure la terre; je grimpe la montagne; je perce la forêt; je parcours une lieue de la plaine en moins d'une heure. Tes jeunes compagnons ont eu peine à me suivre; et j'ai quatre-vingt-dix ans passés. Malheur à cette île ! malheur aux Tahitiens présents, et à tous les Tahitiens à venir, du jour où tu nous as visités! Nous ne connaissions qu'une maladie; celle à laquelle l'homme, l'animal et la plante ont été condamnés, la vieillesse; et tu nous en as apporté une autre : tu as infecté notre sang. Il nous faudra peut-être exterminer de nos propres mains nos filles, nos femmes, nos enfants; ceux qui ont approché tes femmes; celles qui ont approché tes hommes. Nos champs seront trempés du sang impur qui a passé de tes veines dans les nôtres; ou nos enfants, condamnés à nourrir et à perpétuer le mal que tu as donné aux pères et aux mères, et qu'ils transmettront à jamais à leurs descendants. Malheureux! tu seras coupable, ou des ravages qui suivront les funestes caresses des tiens, ou des meurtres que nous commettrons pour en arrêter le poison. Tu parles de crimes! as-tu l'idée d'un plus grand crime que le tien ? Quel est chez toi le châtiment de celui qui tue son voisin ? la mort par le fer. Quel est chez toi le châtiment du lâche qui l'empoisonne ? la mort par le feu. Compare ton forfait à ce dernier; et dis-nous, empoisonneur de nations, le supplice que tu mérites ?

Il n'y a qu'un moment, la jeune Tahitienne s'abandonnait avec transport aux embrassements du jeune Tahitien; elle attendait avec impatience que sa mère, autorisée par l'âge nubile, relevât son voile, et mît sa gorge à nu. Elle était fière d'exciter les désirs, et d'irriter les regards amoureux de l'inconnu, de ses parents, de son frère; elle acceptait sans frayeur et sans honte, en notre présence, au milieu d'un cercle d'innocents Tahitiens, au son des flûtes, entre les danses, les caresses de celui que son jeune cœur et la voix secrète de ses sens lui désignaient. L'idée de crime et le péril de la maladie sont entrés avec toi parmi nous. Nos jouissances, autrefois si douces, sont accompagnées de remords et d'effroi. Cet homme noir, qui est près de toi, qui m'écoute, a parlé à nos garçons; je ne sais ce qu'il a dit à nos filles; mais nos garçons hésitent; mais nos filles rougissent. Enfonce-toi, si tu veux, dans la forêt obscure avec la compagne perverse de tes plaisirs; mais accorde aux bons et simples Tahitiens de se reproduire sans honte, à la face du ciel et au grand jour. Quel sentiment plus honnête et plus grand pourrais-tu mettre à la place de celui que nous leur avons inspiré, et qui les anime? Ils pensent que le moment d'enrichir la nation et la famille d'un nouveau citoyen est venu, et ils s'en glorifient. Ils mangent pour vivre et pour croître : ils croissent pour multiplier, et ils n'y trouvent ni vice, ni honte. Ecoute la suite de tes forfaits. A peine t'es-tu montré parmi eux, qu'ils sont devenus voleurs. A peine es-tu descendu dans notre terre, qu'elle a fumé de sang. Ce Tahitien qui courut à ta rencontre, qui t'accueillit, qui te reçut en criant : *Taïo ami, ami;* vous l'avez tué. Et pourquoi l'avez-vous tué? parce qu'il avait été séduit par l'éclat de tes petits œufs de serpents. Il te donnait ses fruits; il t'offrait sa femme et sa fille; il te cédait sa cabane : et tu l'as tué pour une poignée de ces grains, qu'il avait pris sans te les demander. [Et ce peuple?] Au bruit de ton arme meurtrière, la terreur s'est emparée de lui; et il s'est enfui dans la montagne. Mais crois qu'il n'aurait pas tardé d'en descendre; crois qu'en un instant, sans moi, vous périssiez tous. Eh! pourquoi les ai-je apaisés? pourquoi les ai-je contenus? pourquoi les contiens-je encore dans ce moment? Je l'ignore; car tu ne mérites aucun sentiment de pitié; car tu as une âme féroce qui ne l'éprouva jamais. Tu t'es promené, toi et les tiens, dans notre île; tu as été respecté; tu as joui de tout; tu n'as trouvé sur ton chemin ni barrière, ni refus :

on t'invitait, tu t'asseyais; on étalait devant toi l'abondance du pays. As-tu voulu de jeunes filles ? excepté celles qui n'ont pas encore le privilège de montrer leur visage et leur gorge, les mères t'ont présenté les autres toutes nues; te voilà possesseur de la tendre victime du devoir hospitalier; on a jonché, pour elle et pour toi, la terre de feuilles et de fleurs; les musiciens ont accordé leurs instruments; rien n'a troublé la douceur, ni gêné la liberté de tes caresses et des siennes. On a chanté l'hymne, l'hymne qui t'exhortait à être homme, qui exhortait notre enfant à être femme, et femme complaisante et voluptueuse. On a dansé autour de votre couche; et c'est au sortir des bras de cette femme, après avoir éprouvé sur son sein la plus douce ivresse, que tu as tué son frère, son ami, son père, peut-être. Tu as fait pis encore; regarde de ce côté; vois cette enceinte hérissée de flèches; ces armes qui n'avaient menacé que nos ennemis, vois-les tournées contre nos propres enfants : vois les malheureuses compagnes de vos plaisirs; vois leur tristesse; vois la douleur de leurs pères; vois le désespoir de leurs mères : c'est là qu'elles sont condamnées à périr ou par nos mains, ou par le mal que tu leur as donné. Eloigne-toi, à moins que tes yeux cruels ne se plaisent à des spectacles de mort : éloigne-toi; va, et puissent les mers coupables qui t'ont épargné dans ton voyage, s'absoudre, et nous venger en t'engloutissant avant ton retour! Et vous, Tahitiens, rentrez dans vos cabanes, rentrez tous; et que ces indignes étrangers n'entendent à leur départ que le flot qui mugit, et ne voient que l'écume dont sa fureur blanchit une rive déserte! »

A peine eut-il achevé, que la foule des habitants disparut : un vaste silence régna dans toute l'étendue de l'île; et l'on n'entendit que le sifflement aigu des vents et le bruit sourd des eaux sur toute la longueur de la côte : on eût dit que l'air et la mer, sensibles à la voix du vieillard, se disposaient à lui obéir.

B. Eh bien! qu'en pensez-vous ?

A. Ce discours me paraît véhément; mais à travers je ne sais quoi d'abrupt et de sauvage, il me semble retrouver des idées et des tournures européennes.

B. Pensez donc que c'est une traduction du tahitien en espagnol, et de l'espagnol en français. [Le vieillard] s'était rendu, la nuit, chez cet Orou qu'il a interpellé, et dans la case duquel l'usage de la langue espagnole s'était conservé de temps immémorial. Orou avait écrit

en espagnol la harangue du vieillard; et Bougainville en
avait une copie à la main, tandis que le Tahitien la
prononçait.

A. Je ne vois que trop à présent pourquoi Bougainville a supprimé ce fragment; mais ce n'est pas là tout;
et ma curiosité pour le reste n'est pas légère.

B. Ce qui suit, peut-être, vous intéressera moins.

A. N'importe.

B. C'est un entretien de l'aumônier de l'équipage
avec un habitant de l'île.

A. Orou?

B. Lui-même. Lorsque le vaisseau de Bougainville
approcha de Tahiti, un nombre infini d'arbres creusés
furent lancés sur les eaux; en un instant son bâtiment
en fut environné; de quelque côté qu'il tournât ses
regards, il voyait des démonstrations de surprise et de
bienveillance. On lui jetait des provisions; on lui tendait
les bras; on s'attachait à des cordes; on gravissait contre
les planches; on avait rempli sa chaloupe; on criait vers
le rivage, d'où les cris étaient répondus; les habitants de
l'île accouraient; les voilà tous à terre : on s'empare des
hommes de l'équipage; on se les partage; chacun conduit
le sien dans sa cabane : les hommes les tenaient embrassés
par le milieu du corps; les femmes leur flattaient les joues
de leurs mains. Placez-vous là; soyez témoin, par pensée,
de ce spectacle d'hospitalité; et dites-moi comment vous
trouvez l'espèce humaine.

A. Très belle.

B. Mais j'oublierais peut-être de vous parler d'un
événement assez singulier. Cette scène de bienveillance
et d'humanité fut troublée tout à coup par les cris d'un
homme qui appelait à son secours; c'était le domestique
d'un des officiers de Bougainville. De jeunes Tahitiens
s'étaient jetés sur lui, l'avaient étendu par terre,
le déshabillaient et se disposaient à lui faire la
civilité.

A. Quoi! ces peuples si simples, ces sauvages si bons,
si honnêtes?...

B. Vous vous trompez; ce domestique était une femme
déguisée en homme. Ignorée de l'équipage entier, pendant
tout le temps d'une longue traversée, les Tahitiens
devinèrent son sexe au premier coup d'œil. Elle était née
en Bourgogne; elle s'appelait Barré; ni laide, ni jolie,
âgée de vingt-six ans. Elle n'était jamais sortie de son
hameau; et sa première pensée de voyager fut de faire

le tour du globe : elle montra toujours de la sagesse et du courage.

A. Ces frêles machines-là renferment quelquefois des âmes bien fortes.

III

L'ENTRETIEN DE L'AUMONIER ET D'OROU

B. Dans la division que les Tahitiens se firent de l'équipage de Bougainville, l'aumônier devint le partage d'Orou. L'aumônier et le Tahitien étaient à peu près du même âge, trente-cinq à trente-six ans. Orou n'avait alors que sa femme et trois filles appelées Asto, Palli et Thia. Elles le déshabillèrent, lui lavèrent le visage, les mains et les pieds, et lui servirent un repas sain et frugal. Lorsqu'il fut sur le point de se coucher, Orou, qui s'était absenté avec sa famille, reparut, lui présenta sa femme et ses trois filles nues, et lui dit :

— Tu as soupé, tu es jeune, tu te portes bien; si tu dors seul, tu dormiras mal; l'homme a besoin la nuit d'une compagne à son côté. Voilà ma femme, voilà mes filles : choisis celle qui te convient; mais si tu veux m'obliger, tu donneras la préférence à la plus jeune de mes filles qui n'a point encore eu d'enfants.

La mère ajouta : — Hélas! je n'ai pas à m'en plaindre; la pauvre Thia! ce n'est pas sa faute.

L'aumônier répondit : Que sa religion, son état, les bonnes mœurs et l'honnêteté ne lui permettaient pas d'accepter ces offres.

Orou répliqua :

— Je ne sais ce que c'est que la chose que tu appelles religion; mais je ne puis qu'en penser mal, puisqu'elle t'empêche de goûter un plaisir innocent, auquel nature, la souveraine maîtresse, nous invite tous; de donner l'existence à un de tes semblables; de rendre un service que le père, la mère et les enfants te demandent; de t'acquitter envers un hôte qui t'a fait un bon accueil, et d'enrichir une nation, en l'accroissant d'un sujet de plus. Je ne sais ce que c'est que la chose que tu appelles état; mais ton premier devoir est d'être homme et d'être reconnaissant. Je ne te propose pas de porter dans ton pays les mœurs d'Orou; mais Orou, ton hôte et ton ami, te supplie de te prêter aux mœurs de Tahiti. Les mœurs de Tahiti sont-elles meilleures ou plus mauvaises que les vôtres ? c'est une question facile à décider. La terre où tu es né a-t-elle plus d'hommes qu'elle n'en peut nourrir ? en ce cas tes mœurs ne sont ni pires, ni meilleures que les nôtres. En peut-elle nourrir plus qu'elle n'en a ? nos mœurs sont meilleures que les tiennes. Quant à l'honnêteté que tu m'objectes, je te comprends ; j'avoue que j'ai tort ; et je t'en demande pardon. Je n'exige pas que tu nuises à ta santé ; si tu es fatigué, il faut que tu te reposes ; mais j'espère que tu ne continueras pas à nous contrister. Vois le souci que tu as répandu sur tous ces visages : elles craignent que tu n'aies remarqué en elles quelques défauts qui leur attirent ton dédain. Mais quand cela serait, le plaisir d'honorer une de mes filles, entre ses compagnes et ses sœurs, et de faire une bonne action, ne te suffirait-il pas ? Sois généreux !

L'AUMÔNIER

Ce n'est pas cela : elles sont toutes quatre également belles ; mais ma religon ! mais mon état !

OROU

Elles m'appartiennent, et je te les offre : elles sont à elles, et elles se donnent à toi. Quelle que soit la pureté de conscience que la chose *religion* et la chose *état* te prescrivent, tu peux les accepter sans scrupule. Je n'abuse point de mon autorité ; et sois sûr que je connais et que je respecte les droits des personnes.

Ici, le véridique aumônier convient que jamais la Providence ne l'avait exposé à une aussi pressante tentation. Il était jeune ; il s'agitait, il se tourmentait ; il détournait ses regards des aimables suppliantes ; il les ramenait sur elles ; il levait les yeux et ses mains au ciel. Thia, la plus jeune, embrassait ses genoux et lui disait : Etranger, n'afflige pas mon père, n'afflige pas ma mère, ne m'afflige pas ! Honore-moi dans la cabane et parmi les miens ; élève-moi au rang de mes sœurs qui se moquent de moi. Asto l'aînée a déjà trois enfants ; Palli, la seconde, en a deux, et Thia n'en a point ! Etranger, honnête étranger, ne me rebute pas ! rends-moi mère ; fais-moi un enfant que je puisse un jour promener par la main, à côté de moi, dans Tahiti ; qu'on voie dans neuf mois attaché à mon sein ; dont je sois fière, et qui fasse une partie de ma dot, lorsque je passerai de la cabane de mon père dans une autre. Je serai peut-être plus chanceuse avec toi

qu'avec nos jeunes Tahitiens. Si tu m'accordes cette
faveur, je ne t'oublierai plus ; je te bénirai toute ma vie ;
j'écrirai ton nom sur mon bras et sur celui de ton fils ;
nous le prononcerons sans cesse avec joie ; et, lorsque tu
quitteras ce rivage, mes souhaits t'accompagneront sur les
mers jusqu'à ce que tu sois arrivé dans ton pays.

Le naïf aumônier dit qu'elle lui serrait les mains, qu'elle
attachait sur ses yeux des regards si expressifs et si touchants ; qu'elle pleurait ; que son père, sa mère et ses
sœurs s'éloignèrent ; qu'il resta seul avec elle, et qu'en
disant : Mais ma religion, mais mon état, il se trouva le
lendemain couché à côté de cette jeune fille, qui l'accablait
de caresses, et qui invitait son père, sa mère et ses sœurs,
lorsqu'ils s'approchèrent de leur lit le matin, à joindre
leur reconnaissance à la sienne.

Asto et Palli, qui s'étaient éloignées, rentrèrent avec
les mets du pays, des boissons et des fruits : elles embras-
saient leur sœur et faisaient des vœux sur elle. Ils déjeu-
nèrent tous ensemble ; ensuite Orou, demeuré seul avec
l'aumônier, lui dit :

— Je vois que ma fille est contente de toi ; et je te
remercie. Mais pourrais-tu m'apprendre ce que c'est que
le mot religion, que tu as prononcé tant de fois, et avec
tant de douleur ?

[L'aumônier, après avoir rêvé un moment, répondit :]
— Qui est-ce qui a fait ta cabane et les ustensiles qui la
meublent ?

 OROU

C'est moi.

L'AUMONIER

Eh bien ! nous croyons que ce monde et ce qu'il ren-
ferme est l'ouvrage d'un ouvrier.

OROU

Il a donc des pieds, des mains, une tête ?

L'AUMONIER

Non.

OROU

Où fait-il sa demeure ?

L'AUMONIER

Partout.

OROU

Ici même!

L'AUMONIER

Ici.

OROU

Nous ne l'avons jamais vu.

L'AUMONIER

On ne le voit pas.

OROU

Voilà un père bien indifférent! Il doit être vieux; car il a du moins l'âge de son ouvrage.

L'AUMONIER

Il ne vieillit point; il a parlé à nos ancêtres : il leur a donné des lois; il leur a prescrit la manière dont il voulait être honoré; il leur a ordonné certaines actions, comme bonnes; il leur en a défendu d'autres, comme mauvaises.

OROU

J'entends; et une de ces actions qu'il leur a défendues comme mauvaises, c'est de coucher avec une femme et une fille ? Pourquoi donc a-t-il fait deux sexes ?

L'AUMONIER

Pour s'unir; mais à certaines conditions requises, après certaines cérémonies préalables, en conséquence desquelles un homme appartient à une femme, et n'appartient qu'à elle; une femme appartient à un homme, et n'appartient qu'à lui.

OROU

Pour toute leur vie ?

L'AUMONIER

Pour toute leur vie.

OROU

En sorte que, s'il arrivait à une femme de coucher avec un autre que son mari, ou à un mari de coucher avec une autre que sa femme... mais cela n'arrive point, car, puisqu'il est là, et que cela lui déplaît, il sait les en empêcher.

L'AUMONIER

Non; il les laisse faire, et ils pèchent contre la loi de Dieu, car c'est ainsi que nous appelons le grand ouvrier, contre la loi du pays; et [ils commettent] un crime.

OROU

Je serais fâché de t'offenser pas mes discours; mais si tu le permettais, je te dirais mon avis.

L'AUMONIER

Parle.

OROU

Ces préceptes singuliers, je les trouve opposés à la nature, contraires à la raison; faits pour multiplier les crimes, et fâcher à tout moment le vieil ouvrier, qui a tout fait sans tête, sans mains et sans outils; qui est partout, et qu'on ne voit nulle part; qui dure aujourd'hui et demain, et qui n'a pas un jour de plus; qui commande et qui n'est pas obéi; qui peut empêcher, et qui n'empêche pas. Contraires à la nature, parce qu'ils supposent qu'un être sentant, pensant et libre, peut être la propriété d'un être semblable à lui. Sur quoi ce droit serait-il fondé ? Ne vois-tu pas qu'on a confondu, dans ton pays, la chose qui n'a ni sensibilité, ni pensée, ni désir, ni volonté; qu'on quitte, qu'on prend, qu'on garde, qu'on échange sans qu'elle souffre et sans qu'elle se plaigne, avec la chose qui ne s'échange point, qui ne s'acquiert point; qui a liberté, volonté, désir; qui peut se donner ou se refuser pour un moment; se donner ou se refuser pour toujours; qui se plaint et qui souffre; et qui ne saurait devenir un effet de commerce, sans qu'on oublie son caractère, et qu'on fasse violence à la nature ? Contraires à la loi générale des êtres. Rien, en effet, te paraît-il plus insensé qu'un précepte qui proscrit le changement qui est en nous; qui commande une constance qui n'y peut être, et qui viole la nature et la liberté du mâle et de la femelle, en les enchaînant pour jamais l'un à l'autre; qu'une fidélité qui borne la plus capricieuse des jouissances à un même individu; qu'un serment d'immutabilité de deux êtres de chair, à la face d'un ciel qui n'est pas un instant le même, sous des antres qui menacent ruine; au bas d'une roche qui tombe en poudre; au pied d'un arbre qui se gerce; sur une pierre qui s'ébranle ? Crois-moi, vous avez rendu la condition de l'homme pire que celle de l'animal.

Je ne sais ce que c'est que ton grand ouvrier : mais je me réjouis qu'il n'ait point parlé à nos pères, et je souhaite qu'il ne parle point à nos enfants; car il pourrait par hasard leur dire les mêmes sottises, et ils feraient peut-être celle de les croire. Hier, en soupant, tu nous as entretenus de magistrats et de prêtres; je ne sais quels sont ces personnages que tu appelles *magistrats* et *prêtres*, dont l'autorité règle votre conduite; mais, dis-moi, sont-ils maîtres du bien et du mal? Peuvent-ils faire que ce qui est juste soit injuste, et que ce qui est injuste soit juste? Dépend-il d'eux d'attacher le bien à des actions nuisibles, et le mal à des actions innocentes ou utiles? Tu ne saurais le penser, car, à ce compte, il n'y aurait ni vrai ni faux, ni bon ni mauvais, ni beau ni laid; du moins, que ce qu'il plairait à ton grand ouvrier, à tes magistrats, à tes prêtres, de prononcer tel; et, d'un moment à l'autre, tu serais obligé de changer d'idées et de conduite. Un jour on te dirait, de la part de l'un de tes trois maîtres : *tue*, et tu serais obligé, en conscience, de tuer; un autre jour : *vole;* et tu serais tenu de voler; ou : *ne mange pas de ce fruit;* et tu n'oserais en manger ; *je te défends ce légume ou cet animal;* et tu te garderais d'y toucher. Il n'y a point de bonté qu'on ne pût t'interdire; point de méchanceté qu'on ne pût t'ordonner. Et où en serais-tu réduit, si tes trois maîtres, peu d'accord entre eux, s'avisaient de te permettre, de t'enjoindre et de te défendre la même chose, comme je pense qu'il arrive souvent? Alors, pour plaire au prêtre, il faudra que tu te brouilles avec le magistrat; pour satisfaire le magistrat, il faudra que tu mécontentes le grand ouvrier; et pour te rendre agréable au grand ouvrier, il faudra que tu renonces à la nature. Et sais-tu ce qui en arrivera ? c'est que tu les mépriseras tous les trois, et que tu ne seras ni homme, ni citoyen, ni pieux; que tu ne seras rien; que tu seras mal avec toutes les sortes d'autorité; mal avec toi-même, méchant, tourmenté par ton cœur; persécuté par tes maîtres insensés; et malheureux, comme je te vis hier au soir, lorsque je te présentai mes filles, et que tu t'écriais : Mais ma religion! mais mon état! Veux-tu savoir, en tout temps et en tout lieu, ce qui est bon et mauvais ? Attache-toi à la nature des choses et des actions; à tes rapports avec ton semblable; à l'influence de ta conduite sur ton utilité particulière et le bien général. Tu es en délire, si tu crois qu'il y ait rien, soit en haut, soit en bas, dans l'univers, qui puisse ajouter ou retrancher aux lois de la nature. Sa volonté éternelle est que le bien soit préféré au mal, et le bien général au bien particulier. Tu ordonneras le contraire; mais tu ne seras pas obéi. Tu multiplieras les malfaiteurs et les malheureux par la crainte, par le châtiment et par les remords; tu dépraveras les consciences; tu corrompras les esprits; ils ne sauront plus ce qu'ils ont à faire ou à éviter. Troublés dans l'état d'innocence, tranquilles dans le forfait, ils auront perdu de vue l'étoile polaire, leur chemin. Réponds-moi sincèrement; en dépit des ordres exprès de tes trois législateurs, un jeune homme, dans ton pays, ne couche-t-il jamais, sans leur permission, avec une jeune fille ?

L'AUMONIER

Je mentirais si je te l'assurais.

OROU

La femme, qui a juré de n'appartenir qu'à son mari, ne se donne-t-elle point à un autre ?

L'AUMONIER

Rien n'est plus commun.

OROU

Tes législateurs sévissent ou ne sévissent pas : s'ils sévissent, ce sont des bêtes féroces qui battent la nature; s'ils ne sévissent pas, ce sont des imbéciles qui ont exposé au mépris leur autorité par une défense inutile.

L'AUMONIER

Les coupables, qui échappent à la sévérité des lois, sont châtiés par le blâme général.

OROU

C'est-à-dire que la justice s'exerce par le défaut de sens commun de toute la nation; et que c'est la folie de l'opinion qui supplée aux lois.

L'AUMONIER

La fille déshonorée ne trouve plus de mari.

OROU

Déshonorée! et pourquoi ?

L'AUMONIER

La femme infidèle est plus ou moins méprisée.

OROU

Méprisée! et pourquoi ?

L'AUMONIER

Le jeune homme s'appelle un lâche séducteur.

OROU

Un lâche! un séducteur! et pourquoi ?

L'AUMONIER

Le père, la mère et l'enfant sont désolés. L'époux
volage est un libertin; l'époux trahi partage la honte de
sa femme.

OROU

Quel monstrueux tissu d'extravagances tu m'exposes
là! et encore tu ne me dis pas tout : car aussitôt qu'on
s'est permis de disposer à son gré des idées de justice et
de propriété; d'ôter ou de donner un caractère arbitraire
aux choses; d'unir aux actions ou d'en séparer le bien et
le mal, sans consulter que le caprice, on se blâme, on
s'accuse, on se suspecte, on se tyrannise, on est envieux,
on est jaloux, on se trompe, on s'afflige, on se cache, on
dissimule, on s'épie, on se surprend, on se querelle, on
ment; les filles en imposent à leurs parents; les maris à
leurs femmes; les femmes à leurs maris; des filles, oui,
je n'en doute pas, des filles étoufferont leurs enfants; des
pères soupçonneux mépriseront et négligeront les leurs;
des mères s'en sépareront et les abandonneront à la merci
du sort; et le crime et la débauche se montreront sous
toutes sortes de formes. Je sais tout cela, comme si
j'avais vécu parmi vous. Cela est, parce que cela doit être;
et la société, dont votre chef vous vante le bel ordre, ne
sera qu'un ramas ou d'hypocrites, qui foulent secrètement aux pieds les lois; ou d'infortunés, qui sont eux-
mêmes les instruments de leur supplice, en s'y soumet-
tant; ou d'imbéciles, en qui le préjugé a tout à fait
étouffé la voix de la nature; ou d'êtres mal organisés, en
qui la nature ne réclame pas ses droits.

L'AUMONIER

Cela ressemble. Mais vous ne vous mariez donc point ?

OROU

Nous nous marions.

L'AUMONIER

Qu'est-ce que votre mariage ?

OROU

Le consentement d'habiter une même cabane, et de coucher dans un même lit, tant que nous nous y trouvons bien.

L'AUMONIER

Et lorsque vous vous y trouvez mal ?

OROU

Nous nous séparons.

L'AUMONIER

Que deviennent vos enfants ?

OROU

O étranger! ta dernière question achève de me déceler la profonde misère de ton pays. Sache, mon ami, qu'ici la naissance d'un enfant est toujours un bonheur, et sa mort un sujet de regrets et de larmes. Un enfant est un bien précieux, parce qu'il doit devenir un homme; aussi, en avons-nous un tout autre soin que de nos plantes et de nos animaux. Un enfant qui naît, occasionne la joie domestique et publique : c'est un accroissement de fortune pour la cabane, et de force pour la nation : ce sont des bras et des mains de plus dans Tahiti; nous voyons en lui un agriculteur, un pêcheur, un chasseur, un soldat, un époux, un père. En repassant de la cabane de son mari dans celle de ses parents, une femme emmène avec elle ses enfants qu'elle avait apportés en dot : on partage ceux qui sont nés pendant la cohabitation commune; et l'on compense, autant qu'il est possible, les mâles par les femelles, en sorte qu'il reste à chacun à peu près un nombre égal de filles et de garçons.

L'AUMONIER

Mais des enfants sont longtemps à charge avant que de rendre service.

OROU

Nous destinons à leur entretien et à la subsistance des vieillards, une sixième partie de tous les fruits du pays; ce tribut les suit partout. Ainsi tu vois que plus la famille du Tahitien est nombreuse, plus elle est riche.

L'AUMONIER

Une sixième partie!

OROU

C'est un moyen sûr d'encourager la population, et d'intéresser au respect de la vieillesse et à la conservation des enfants.

L'AUMONIER

Vos époux se reprennent-ils quelquefois?

OROU

Très souvent; cependant la durée la plus courte d'un mariage est d'une lune à l'autre.

L'AUMONIER

A moins que la femme ne soit grosse; alors la cohabitation est au moins de neuf mois?

OROU

Tu te trompes; la paternité, comme le tribut, suit son enfant partout.

L'AUMONIER

Tu m'as parlé d'enfants qu'une femme apporte en dot à son mari.

OROU

Assurément. Voilà ma fille aînée qui a trois enfants; ils marchent; ils sont sains; ils sont beaux; ils promettent d'être forts : lorsqu'il lui prendra fantaisie de se marier, elle les emmènera; ils sont siens : son mari les recevra avec joie, et sa femme ne lui en serait que plus agréable, si elle était enceinte d'un quatrième.

L'AUMONIER

De lui?

OROU

De lui, ou d'un autre. Plus nos filles ont d'enfants, plus elles sont recherchées; plus nos garçons sont vigoureux et beaux, plus ils sont riches : aussi, autant nous sommes attentifs à préserver les unes de l'approche de l'homme, les autres du commerce de la femme, avant l'âge de fécondité; autant nous les exhortons à produire, lorsque les garçons sont pubères et les filles nubiles. Tu ne saurais croire l'importance du service que tu auras rendu à ma fille Thia, si tu lui as fait un enfant. Sa mère ne lui dira plus à chaque lune : Mais, Thia, à quoi penses-tu donc ? Tu ne deviens point grosse; tu as dix-neuf ans; tu devrais avoir déjà deux enfants, et tu n'en as point. Quel est celui qui se chargera de toi ? Si tu perds ainsi tes jeunes ans, que feras-tu dans ta vieillesse ? Thia, il faut que tu aies quelques défauts qui éloignent de toi les hommes. Corrige-toi, mon enfant : à ton âge, j'avais été trois fois mère.

L'AUMONIER

Quelles précautions prenez-vous pour garder vos filles et vos garçons adolescents ?

OROU

C'est l'objet principal de l'éducation domestique et le point le plus important des mœurs publiques. Nos garçons, jusqu'à l'âge de vingt-deux ans, deux ou trois ans au-delà de la puberté, restent couverts d'une longue tunique, et les reins ceints d'une petite chaîne. Avant que d'être nubiles, nos filles n'oseraient sortir sans un voile blanc. Oter sa chaîne, relever son voile, est une faute qui se commet rarement, parce que nous leur en apprenons de bonne heure les fâcheuses conséquences. Mais au moment où le mâle a pris toute sa force, où les symptômes virils ont de la continuité, et où l'effusion fréquente et la qualité de la liqueur séminale nous rassurent; au moment où la jeune fille se fane, s'ennuie, est d'une maturité propre à concevoir des désirs, à en inspirer et à les satisfaire avec utilité, le père détache la chaîne à son fils et lui coupe l'ongle du doigt du milieu de la main droite. La mère relève le voile de sa fille. L'un peut solliciter une femme, et en être sollicité; l'autre, se promener publiquement le visage découvert et la gorge nue, accepter ou refuser les caresses d'un homme. On

indique seulement d'avance, au garçon les filles, à la
fille les garçons, qu'ils doivent préférer. C'est une grande
fête que celle de l'émancipation d'une fille ou d'un garçon.
Si c'est une fille, la veille, les jeunes garçons se ras-
semblent en foule autour de la cabane, et l'air retentit
pendant toute la nuit du chant des voix et du son des
instruments. Le jour, elle est conduite par son père et
par sa mère dans une enceinte où l'on danse et où l'on
fait l'exercice du saut, de la lutte et de la course. On
déploie l'homme nu devant elle, sous toutes les faces et
dans toutes les attitudes. Si c'est un garçon, ce sont les
jeunes filles qui font en sa présence les frais et les honneurs de la fête et exposent à ses regards la femme nue,
sans réserve et sans secret. Le reste de la cérémonie
s'achève sur un lit de feuilles, comme tu l'as vu à ta des-
cente parmi nous. A la chute du jour, la fille rentre dans
la cabane de ses parents, ou passe dans la cabane de
celui dont elle a fait choix, et elle y reste tant qu'elle s'y
plaît.

L'AUMONIER

Ainsi cette fête est ou n'est point un jour de mariage ?

OROU

Tu l'as dit...
— *A*. Qu'est-ce que je vois là en marge ?
B. C'est une note, où le bon aumônier dit que les préceptes des parents sur le choix des garçons et des filles
étaient pleins de bon sens et d'observations très fines et
très utiles ; mais qu'il a supprimé ce catéchisme, qui aurait
paru, à des gens aussi corrompus et aussi superficiels que
nous, d'une licence impardonnable ; ajoutant toutefois
que ce n'était pas sans regret qu'il avait retranché des
détails où l'on aurait vu, premièrement, jusqu'où une
nation, qui s'occupe sans cesse d'un objet important,
peut être conduite dans ses recherches, sans les secours
de la physique et de l'anatomie ; secondement, la différence des idées de la beauté dans une contrée où l'on
rapporte les formes au plaisir d'un moment, et chez un
peuple où elles sont appréciées d'après une utilité plus
constante. Là, pour être belle, on exige un teint éclatant,
un grand front, de grands yeux, des traits fins et délicats,
une taille légère, une petite bouche, de petites mains,
un petit pied... Ici, presque aucun de ces éléments n'entre
en calcul. La femme sur laquelle les regards s'attachent

et que le désir poursuit, est celle qui promet beaucoup d'enfants (la femme du cardinal d'Ossat), et qui les promet actifs, intelligents, courageux, sains et robustes. Il n'y a presque rien de commun entre la Vénus d'Athènes et celle de Tahiti; l'une est Vénus galante, l'autre est Vénus féconde. Une Tahitienne disait un jour avec mépris à une autre femme du pays : « Tu es belle, mais tu fais de laids enfants; je suis laide, mais je fais de beaux enfants, et c'est moi que les hommes préfèrent. »

Après cette note de l'aumônier, Orou continue.

A. Avant qu'il reprenne son discours, j'ai une prière à vous faire, c'est de me rappeler une aventure arrivée dans la Nouvelle-Angleterre.

B. La voici. Une fille, Miss Polly Baker, devenue grosse pour la cinquième fois, fut traduite devant le tribunal de justice de Connecticut, près de Boston. La loi condamne toutes les personnes du sexe qui ne doivent le titre de mère qu'au libertinage à une amende, ou à une punition corporelle lorsqu'elles ne peuvent payer l'amende. Miss Polly, en entrant dans la salle où les juges étaient assemblés, leur tint ce discours : « Permettez-moi, Messieurs, de vous adresser quelques mots. Je suis une fille malheureuse et pauvre, je n'ai pas le moyen de payer des avocats pour prendre ma défense, et je ne vous retiendrai pas longtemps. Je ne me flatte pas que dans la sentence que vous allez prononcer vous vous écartiez de la loi; ce que j'ose espérer, c'est que vous daignerez implorer pour moi les bontés du gouvernement et obtenir qu'il me dispense de l'amende. Voici la cinquième fois que je parais devant vous pour le même sujet; deux fois j'ai payé des amendes onéreuses, deux fois j'ai subi une punition publique et honteuse parce que je n'ai pas été en état de payer. Cela peut être conforme à la loi, je ne le conteste point; mais il y a quelquefois des lois injustes, et on les abroge; il y en a aussi de trop sévères, et la puissance législatrice peut dispenser de leur exécution. J'ose dire que celle qui me condamne est à la fois injuste en elle-même et trop sévère envers moi. Je n'ai jamais offensé personne dans le lieu où je vis, et je défie mes ennemis, si j'en ai quelques-uns, de pouvoir prouver que j'ai fait le moindre tort à un homme, à une femme, à un enfant. Permettez-moi d'oublier un moment que la loi existe, alors je ne conçois pas quel peut être mon crime; j'ai mis cinq beaux enfants au monde, au péril de ma vie, je les ai nourris de mon lait, je les ai soutenus de mon travail; et j'aurais fait davantage pour eux, si je n'avais pas payé des amendes qui m'en ont ôté les moyens. Est-ce un crime d'augmenter les sujets de Sa Majesté dans une nouvelle contrée qui manque d'habitants ? Je n'ai enlevé aucun mari à sa femme, ni débauché aucun jeune homme; jamais on ne m'a accusé de ces procédés coupables, et si quelqu'un se plaint de moi, ce ne peut être que le ministre à qui je n'ai point payé de droits de mariage. Mais est-ce ma faute ? J'en appelle à vous, Messieurs; vous me supposez sûrement assez de bon sens pour être persuadés que je préférerais l'honorable état de femme à la condition honteuse dans laquelle j'ai vécu jusqu'à présent. J'ai toujours désiré et je désire encore de me marier, et je ne crains point de dire que j'aurais la bonne conduite, l'industrie et l'économie convenables à une femme, comme j'en ai la fécondité. Je défie qui que ce soit de dire que j'aie refusé de m'engager dans cet état. Je consentis à la première et seule proposition qui m'en ait été faite; j'étais vierge encore; j'eus la simplicité de confier mon honneur à un homme qui n'en avait point; il me fit mon premier enfant et m'abandonna. Cet homme, vous le connaissez tous; il est actuellement magistrat comme vous et s'assied à vos côtés; j'avais espéré qu'il paraîtrait aujourd'hui au tribunal et qu'il aurait intéressé votre pitié en ma faveur, en faveur d'une malheureuse qui ne l'est que par lui; alors j'aurais été incapable de l'exposer à rougir en rappelant ce qui s'est passé entre nous. Ai-je tort de me plaindre aujourd'hui de l'injustice des lois ? La première cause de mes égarements, mon séducteur, est élevé au pouvoir et aux honneurs par ce même gouvernement qui punit mes malheurs par le fouet et par l'infamie. On me répondra que j'ai transgressé les préceptes de la religion; si mon offense est contre Dieu, laissez-lui le soin de m'en punir; vous m'avez déjà exclue de la communion de l'Eglise, cela ne suffit-il pas ? Pourquoi au supplice de l'enfer, que vous croyez m'attendre dans l'autre monde, ajoutez-vous dans celui-ci les amendes et le fouet ? Pardonnez, Messieurs, ces réflexions; je ne suis point un théologien, mais j'ai peine à croire que ce me soit un grand crime d'avoir donné le jour à de beaux enfants que Dieu a doués d'âmes immortelles et qui l'adorent. Si vous faites des lois qui changent la nature des actions et en font des crimes, faites-en contre les célibataires dont le nombre augmente tous les jours, qui portent la séduction et l'opprobre dans les familles, qui trompent les jeunes filles comme je l'ai été, et qui les forcent à vivre dans l'état honteux dans lequel je vis au milieu d'une société qui les repousse et qui les méprise. Ce sont eux qui troublent la tranquillité publique; voilà des crimes qui méritent plus que le mien l'animadversion des lois. »

Ce discours singulier produisit l'effet qu'en attendait Miss Baker; ses juges lui remirent l'amende et la peine qui en tient lieu. Son séducteur, instruit de ce qui s'était passé, sentit le remords de sa première conduite; il voulut la réparer; deux jours après il épousa Miss Baker, et fit une honnête femme de celle dont cinq ans auparavant il avait fait une fille publique.

A. Et ce n'est pas là un conte de votre invention ?

B. Non.

A. J'en suis bien aise.

B. Je ne sais si l'abbé Raynal ne rapporte pas le fait et le discours dans son *Histoire du commerce des deux Indes.*

A. Ouvrage excellent et d'un ton si différent des précédents qu'on a soupçonné l'abbé d'y avoir employé des mains étrangères.

B. C'est une injustice.

A. Ou une méchanceté. On dépèce le laurier qui ceint la tête d'un grand homme et on le dépèce si bien qu'il ne lui en reste plus qu'une feuille.

B. Mais le temps rassemble les feuilles éparses et refait la couronne.

A. Mais l'homme est mort; il a souffert de l'injure qu'il a reçue de ses contemporains, et il est insensible à la réparation qu'il obtient de la postérité.

IV

SUITE DE L'ENTRETIEN DE L'AUMONIER AVEC L'HABITANT DE TAHITI

OROU

L'heureux moment pour une jeune fille et pour ses parents, que celui où sa grossesse est constatée! Elle se lève; elle accourt; elle jette ses bras autour du cou de sa mère et de son père; c'est avec des transports d'une joie mutuelle, qu'elle leur annonce et qu'ils apprennent

cet événement. Maman! mon papa! embrassez-moi : je
suis grosse! — Est-il bien vrai ? — Très vrai. — Et de
qui l'êtes-vous ? — Je le suis d'un tel...

L'AUMONIER

Comment peut-elle nommer le père de son enfant ?

OROU

Pourquoi veux-tu qu'elle l'ignore ? Il en est de la durée
de nos amours comme de celle de nos mariages; elle est
au moins d'une lune à la lune suivante.

L'AUMONIER

Et cette règle est bien scrupuleusement observée ?

OROU

Tu vas en juger. D'abord, l'intervalle de deux lunes
n'est pas long; mais lorsque deux pères ont une prétention bien fondée à la formation d'un enfant, il n'appartient plus à sa mère.

L'AUMONIER

A qui appartient-il donc ?

OROU

A celui des deux à qui il lui plaît de le donner : voilà
tout son privilège; et un enfant étant par lui-même un
objet d'intérêt et de richesse, tu conçois que, parmi nous,
les libertines sont rares, et que les jeunes garçons s'en
éloignent.

L'AUMONIER

Vous avez donc aussi vos libertines ? J'en suis bien
aise.

OROU

Nous en avons même de plus d'une sorte : mais tu
m'écartes de mon sujet. Lorsqu'une de nos filles est
grosse, si le père de l'enfant est un jeune homme beau,
bien fait, brave, intelligent et laborieux, l'espérance que
l'enfant héritera des vertus de son père renouvelle l'allé-
gresse. Notre enfant n'a honte que d'un mauvais choix.
Tu dois concevoir quel prix nous attachons à la santé,
à la beauté, à la force, à l'industrie, au courage; tu dois
concevoir comment, sans que nous nous en mêlions, les

prérogatives du sang doivent s'éterniser parmi nous. Toi qui as parcouru différentes contrées, dis-moi si tu as remarqué dans aucune autant de beaux hommes et autant de belles femmes que dans Tahiti! Regarde-moi : comment me trouves-tu ? Eh bien! il y a dix mille hommes ici plus grands, aussi robustes; mais pas un plus brave que moi; aussi les mères me désignent-elles souvent à leurs filles.

L'AUMONIER

Mais de tous ces enfants que tu peux avoir faits hors de ta cabane, que t'en revient-il ?

OROU

Le quatrième, mâle ou femelle. Il s'est établi parmi nous une circulation d'hommes, de femmes et d'enfants, ou de bras de tout âge et de toute fonction, qui est bien d'une autre importance que celle de vos denrées qui n'en sont que le produit.

L'AUMONIER

Je le conçois. Qu'est-ce que c'est que ces voiles noirs que j'ai rencontrés quelquefois.

OROU

Le signe de la stérilité, vice de naissance, ou suite de l'âge avancé. Celle qui quitte ce voile et se mêle avec les hommes, est une libertine, celui qui relève ce voile et s'approche de la femme stérile, est un libertin.

L'AUMONIER

Et ces voiles gris ?

OROU

Le signe de la maladie périodique. Celle qui quitte ce voile, et se mêle avec les hommes, est une libertine; celui qui le relève, et s'approche de la femme malade, est un libertin.

L'AUMONIER

Avez-vous des châtiments pour ce libertinage ?

OROU

Point d'autres que le blâme.

L'AUMONIER

Un père peut-il coucher avec sa fille, une mère avec
son fils, un frère avec sa sœur, un mari avec la femme
d'un autre ?

OROU

Pourquoi non ?

L'AUMONIER

Passe pour la fornication; mais l'inceste, mais l'adultère!

OROU

Qu'est-ce que tu veux dire avec tes mots, *fornication,
inceste, adultère* ?

L'AUMONIER

Des crimes, des crimes énormes, pour l'un desquels
l'on brûle dans mon pays.

OROU

Qu'on brûle ou qu'on ne brûle pas dans ton pays, peu
m'importe. Mais tu n'accuseras pas les mœurs d'Europe
par celles de Tahiti, ni par conséquent les mœurs de
Tahiti par celles de ton pays : il nous faut une règle
plus sûre; et quelle sera cette règle ? En connais-tu une
autre que le bien général et l'utilité particulière ? A présent, dis-moi ce que ton crime *inceste* a de contraire à
ces deux fins de nos actions ? Tu te trompes, mon ami,
si tu crois qu'une loi une fois publiée, un mot ignomi-
nieux inventé, un supplice décerné, tout est dit. Réponds-
moi donc, qu'entends-tu par *inceste* ?

L'AUMONIER

Mais un *inceste*...

OROU

Un *inceste* ?... Y a-t-il longtemps que ton grand ouvrier
sans tête, sans mains et sans outils, a fait le monde ?

L'AUMONIER

Non.

OROU

Fit-il toute l'espèce humaine à la fois ?

L'AUMONIER

Il créa seulement une femme et un homme.

OROU

Eurent-ils des enfants ?

L'AUMONIER

Assurément.

OROU

Suppose que ces deux premiers parents n'aient eu que des filles, et que leur mère soit morte la première; ou qu'ils n'aient eu que des garçons, et que la femme ait perdu son mari.

L'AUMONIER

Tu m'embarrasses; mais tu as beau dire, l'*inceste* est un crime abominable, et parlons d'autre chose.

OROU

Cela te plaît à dire; je me tais, moi, tant que tu ne m'auras pas dit ce que c'est que le crime abominable *inceste*.

L'AUMONIER

Eh bien! je t'accorde que peut-être l'*inceste* ne blesse en rien la nature; mais ne suffit-il pas qu'il menace la constitution politique ? Que deviendraient la sûreté d'un chef et la tranquillité d'un Etat, si toute une nation composée de plusieurs millions d'hommes, se trouvait rassemblée autour d'une cinquantaine de pères de famille.

OROU

Le pis-aller, c'est qu'où il n'y a qu'une grande société, il y en aurait cinquante petites, plus de bonheur et un crime de moins.

L'AUMONIER

Je crois cependant que, même ici, un fils couche rarement avec sa mère.

OROU

A moins qu'il n'ait beaucoup de respect pour elle, et une tendresse qui lui fasse oublier la disparité d'âge, et préférer une femme de quarante ans à une fille de dix-neuf.

L'AUMONIER

Et le commerce des pères avec leurs filles ?

OROU

Guère plus fréquent, à moins que la fille ne soit laide et peu recherchée. Si son père l'aime, il s'occupe à lui préparer sa dot en enfants.

L'AUMONIER

Cela me fait imaginer que le sort des femmes que la nature a disgraciées ne doit pas être heureux dans Tahiti.

OROU

Cela me prouve que tu n'as pas une haute opinion de la générosité de nos jeunes gens.

L'AUMONIER

Pour les unions des frères et des sœurs, je ne doute pas qu'elles ne soient très communes.

OROU

Et très approuvées.

L'AUMONIER

A t'entendre, cette passion, qui produit tant de crimes et de maux dans nos contrées, serait ici tout à fait innocente.

OROU

Etranger! tu manques de jugement et de mémoire : de jugement, car, partout où il y a défense, il faut qu'on soit tenté de faire la chose défendue et qu'on la fasse : de mémoire, puisque tu ne te souviens plus de ce que je t'ai dit. Nous avons de vieilles dissolues, qui sortent la nuit sans leur voile noir, et reçoivent des hommes, lorsqu'il ne peut rien résulter de leur approche; si elles sont reconnues ou surprises, l'exil au nord de l'île, ou l'esclavage, est leur châtiment; des filles précoces, qui relèvent leur voile blanc à l'insu de leurs parents, et nous avons pour elles un lieu fermé dans la cabane; des jeunes hommes, qui déposent leur chaîne avant le temps prescrit par la nature et par la loi, et nous en réprimandons leurs parents; des femmes à qui le temps de la grossesse paraît long; des femmes et des filles peu scrupuleuses à garder leur voile gris; mais dans le fait, nous n'attachons pas une grande importance à toutes ces fautes; et tu ne saurais croire combien l'idée de richesse particulière ou publique, unie dans nos têtes à l'idée de population, épure nos mœurs sur ce point.

L'AUMONIER

La passion de deux hommes pour une même femme, ou le goût de deux femmes ou de deux filles pour un même homme, n'occasionnent-ils point de désordres ?

OROU

Je n'en ai pas vu quatre exemples : le choix de la femme ou celui de l'homme finit tout. La violence d'un homme serait une faute grave; mais il faut une plainte publique, et il est presque inouï qu'une fille ou qu'une femme se soit plainte. La seule chose que j'aie remarquée, c'est que nos femmes ont moins de pitié des hommes laids, que nos jeunes gens des femmes disgraciées; et nous n'en sommes pas fâchés.

L'AUMONIER

Vous ne connaissez guère la jalousie, à ce que je vois; mais la tendresse maritale, l'amour paternel, ces deux sentiments si puissants et si doux, s'ils ne sont pas étrangers ici, y doivent être assez faibles.

OROU

Nous y avons suppléé par un autre, qui est tout autrement général, énergique et durable, l'intérêt. Mets la main sur la conscience; laisse là cette fanfaronnade de vertu, qui est sans cesse sur les lèvres de tes camarades, et qui ne réside pas au fond de leur cœur. Dis-moi si, dans quelque contrée que ce soit, il y a un père, qui sans la honte qui le retient, n'aimât mieux perdre son enfant, un mari qui n'aimât mieux perdre sa femme, que sa fortune et l'aisance de toute sa vie. Sois sûr que partout où l'homme sera attaché à la conservation de son semblable comme à son lit, à sa santé, à son repos, à sa cabane, à ses fruits, à ses champs, il fera pour lui tout ce qu'il est possible de faire. C'est ici que les pleurs trempent la couche d'un enfant qui souffre; c'est ici que les mères sont soignées dans la maladie; c'est ici qu'on prise une femme féconde, une fille nubile, un garçon adolescent; c'est ici qu'on s'occupe de leur institution, parce que leur conservation est toujours un accroissement, et leur perte toujours une diminution de fortune.

L'AUMONIER

Je crains bien que ce sauvage n'ait raison. Le paysan misérable de nos contrées, qui excède sa femme pour soulager son cheval, laisse périr son enfant sans secours, et appelle le médecin pour son bœuf.

OROU

Je n'entends pas trop ce que tu viens de dire; mais, à ton retour dans ta patrie si policée, tâche d'y introduire ce ressort; et c'est alors qu'on y sentira le prix de l'enfant qui naît, et l'importance de la population. Veux-tu que je te révèle un secret ? Mais prends garde qu'il ne t'échappe. Vous arrivez : nous vous abandonnons nos femmes et nos filles; vous vous en étonnez; vous nous en témoignez une gratitude qui nous fait rire; vous nous remerciez, lorsque nous asseyons sur toi et sur tes compagnons la plus forte de toutes les impositions. Nous ne t'avons point demandé d'argent; nous ne nous sommes point jetés sur tes marchandises; nous avons méprisé tes denrées : mais nos femmes et nos filles sont venues exprimer le sang de tes veines. Quand tu t'éloigneras, tu nous auras laissé des enfants : ce tribut levé sur ta personne, sur ta propre substance, à ton avis, n'en vaut-il pas bien un autre ? Et si tu veux en apprécier la valeur, imagine que tu aies deux cents lieues de côtes à courir, et qu'à chaque vingt mille[s] on te mette à pareille contribution. Nous avons des terres immenses en friche; nous manquons de bras; et nous t'en avons demandé. Nous avons des calamités épidémiques à réparer; et nous t'avons employé à réparer le vide qu'elles laisseront. Nous avons des ennemis voisins à combattre, un besoin de soldats; et nous t'avons prié de nous en faire : le nombre de nos femmes et de nos filles est trop grand pour celui des hommes; et nous t'avons associé à notre tâche. Parmi ces femmes et ces filles, il y en a dont nous n'avons jamais pu obtenir d'enfants; et ce sont celles que nous avons exposées à vos premiers embrassements. Nous avons à payer une redevance en hommes à un voisin oppresseur; c'est toi et tes camarades qui nous défrayer [ez]; et dans cinq à six ans, nous lui enverrons vos fils, s'ils valent moins que les nôtres. Plus robustes, plus sains que vous, nous nous sommes aperçus au premier coup d'œil que vous nous surpassiez en intelligence; et, sur-le-champ, nous avons destiné quelques-unes de nos femmes et de nos filles les plus belles à recueillir la semence d'une race meilleure que la nôtre. C'est un essai que nous avons tenté, et qui pourra nous réussir. Nous avons tiré de toi et des tiens le seul parti que nous en pouvions tirer : et crois que, tout sauvages que nous sommes, nous savons aussi calculer. Va où tu voudras; et tu trouveras presque toujours l'homme aussi fin que toi. Il ne te donnera jamais que ce qui ne lui est bon à rien, et te demandera toujours ce qui lui est utile. S'il te présente un morceau d'or pour un morceau de fer, c'est qu'il ne fait aucun cas de l'or, et qu'il prise le fer. Mais dis-moi donc pourquoi tu n'es pas vêtu comme les autres ? Que signifie cette casaque longue qui t'enveloppe de la tête aux pieds, et ce sac pointu que tu laisses tomber sur tes épaules, ou que tu ramènes sur tes oreilles ? .

L'AUMONIER

C'est que, tel que tu me vois, je me suis engagé dans une société d'hommes qu'on appelle, dans mon pays, des moines. Le plus sacré de leurs vœux est de n'approcher d'aucune femme, et de ne point faire d'enfants.

OROU

Que faites-vous donc ?

L'AUMONIER

Rien.

OROU

Et ton magistrat souffre cette espèce de paresseux, la pire de toutes ?

L'AUMONIER

Il fait plus; il la respecte et la fait respecter.

OROU

Ma première pensée était que la nature, quelque accident, ou un art cruel vous avait privés de la faculté de produire votre semblable; et que, par pitié, on aimait mieux vous laisser vivre que de vous tuer. Mais, moine, ma fille m'a dit que tu étais un homme, et un homme aussi robuste qu'un Tahitien, et qu'elle espérait que tes caresses réitérées ne seraient pas infructueuses. A présent que j'ai compris pourquoi tu t'es écrié hier au soir : *Mais ma religion! mais mon état!* pourrais-tu m'apprendre le motif de la faveur et du respect que les magistrats vous accordent ?

L'AUMONIER

Je l'ignore.

OROU

Tu sais au moins par quelle raison, étant homme, tu t'es librement condamné à ne le pas être ?

L'AUMONIER

Cela serait trop long et trop difficile à t'expliquer.

OROU

Et ce vœu de stérilité, le moine y est-il bien fidèle ?

L'AUMONIER

Non.

OROU

J'en étais sûr. Avez-vous aussi des moines femelles ?

L'AUMONIER

Oui.

OROU

Aussi sages que les moines mâles ?

L'AUMONIER

Plus renfermées, elles sèchent de douleur, périssent d'ennui.

OROU

Et l'injure faite à la nature est vengée. Oh! le vilain pays! Si tout y est ordonné comme ce que tu m'en dis, vous êtes plus barbares que nous.

Le bon aumônier raconte qu'il passa le reste de la journée à parcourir l'île, à visiter les cabanes, et que le soir, après souper, le père et la mère l'ayant supplié de coucher avec la seconde de leurs filles, Palli s'était présentée dans le même déshabillé que Thia, et qu'il s'était écrié plusieurs fois pendant la nuit : *Mais ma religion! mais mon état!* que la troisième nuit il avait été agité des mêmes remords avec Asto l'aînée, et que la quatrième il l'avait accordée par honnêteté à la femme de son hôte.

V

SUITE DU DIALOGUE ENTRE A ET B

A. J'estime cet aumônier poli.

B. Et moi, beaucoup davantage les mœurs des Tahitiens, et le discours d'Orou.

A. Quoique un peu modelé à l'européenne.

B. Je n'en doute pas.

— Ici le bon aumônier se plaint de la brièveté de son séjour dans Tahiti, et de la difficulté de mieux connaître les usages d'un peuple assez sage pour s'être arrêté de lui-même à la médiocrité, ou assez heureux pour habiter un climat dont la fertilité lui assurait un long engourdissement, assez actif pour s'être mis à l'abri des besoins absolus de la vie, et assez indolent pour que son innocence, son repos et sa félicité n'eussent rien à redouter d'un progrès trop rapide de ses lumières. Rien n'y était mal par l'opinion ou par la loi, que ce qui était mal de sa nature. Les travaux et les récoltes s'y faisaient en commun. L'acception du mot *propriété* y était très étroite; la passion de l'amour, réduite à un simple appétit physique, n'y produisait aucun de nos désordres. L'île entière offrait l'image d'une seule famille nombreuse, dont chaque cabane représentait les divers appartements d'une de nos grandes maisons. Il finit par protester que ces Tahitiens seront toujours présents à sa mémoire, qu'il avait été tenté de jeter ses vêtements dans le vaisseau et de passer le reste de ses jours parmi eux, et qu'il craint bien de se repentir plus d'une fois de ne l'avoir pas fait.

A. Malgré cet éloge, quelles conséquences utiles à tirer des mœurs et des usages bizarres d'un peuple non civilisé ?

B. Je vois qu'aussitôt que quelques causes physiques, telles, par exemple, que la nécessité de vaincre l'ingratitude du sol, ont mis en jeu la sagacité de l'homme, cet élan le conduit bien au-delà du but, et que, le terme du besoin passé, on est porté dans l'océan sans bornes des fantaisies, d'où l'on ne se tire plus. Puisse l'heureux Tahitien s'arrêter où il en est! Je vois qu'excepté dans ce recoin écarté de notre globe, il n'y a point eu de mœurs, et qu'il n'y en aura peut-être jamais nulle part.

A. Qu'entendez-vous donc par des mœurs?

B. J'entends une soumission générale et une conduite conséquente à des lois bonnes ou mauvaises. Si les lois sont bonnes, les mœurs sont bonnes; si les lois sont mauvaises, les mœurs sont mauvaises; si les lois, bonnes ou mauvaises, ne sont point observées, la pire condition d'une société, il n'y a point de mœurs. Or comment voulez-vous que des lois s'observent quand elles se contredisent? Parcourez l'histoire des siècles et des nations tant anciennes que modernes, et vous trouverez les hommes assujettis à trois codes, le code de la nature, le code civil, et le code religieux, et contraints d'enfreindre alternativement ces trois codes qui n'ont jamais été d'accord; d'où il est arrivé qu'il n'y a eu dans aucune contrée, comme Orou l'a deviné de la nôtre, ni homme, ni citoyen, ni religieux.

A. D'où vous conclurez, sans doute, qu'en fondant la morale sur les rapports éternels, qui subsistent entre les hommes, la loi religieuse devient peut-être superflue; et que la loi civile ne doit être que l'énonciation de la loi de nature.

B. Et cela, sous peine de multiplier les méchants, au lieu de faire de[s] bons.

A. Ou que, si l'on juge nécessaire de les conserver toutes trois, il faut que les deux dernières ne soient que des calques rigoureux de la première, que nous apportons gravée au fond de nos cœurs, et qui sera toujours la plus forte.

B. Cela n'est pas exact. Nous n'apportons en naissant qu'une similitude d'organisation avec d'autres êtres, les mêmes besoins, de l'attrait vers les mêmes plaisirs, une aversion commune pour les mêmes peines : ce qui constitue l'homme ce qu'il est, et doit fonder la morale qui lui convient.

A. Cela n'est pas aisé.

B. Cela n'est pas si difficile, que je croirais volontiers le peuple le plus sauvage de la terre, le Tahitien qui s'en est tenu scrupuleusement à la loi de nature, plus voisin d'une bonne législation qu'aucun peuple civilisé.

A. Parce qu'il lui est plus facile de se défaire de son

trop de rusticité, qu'à nous de revenir sur nos pas et de réformer nos abus.

B. Surtout ceux qui tiennent à l'union de l'homme avec la femme.

A. Cela se peut. Mais commençons par le commencement. Interrogeons bonnement la nature, et voyons sans partialité ce qu'elle nous répondra sur ce point.

B. J'y consens.

A. Le mariage est-il dans la nature ?

B. Si vous entendez par le mariage la préférence qu'une femelle accorde à un mâle sur tous les autres mâles, ou celle qu'un mâle donne à une femelle sur toutes les autres femelles ; préférence mutuelle, en conséquence de laquelle il se forme une union plus ou moins durable, qui perpétue l'espèce par la reproduction des individus, le mariage est dans la nature.

A. Je le pense comme vous ; car cette préférence se remarque non seulement dans l'espèce humaine, mais encore dans les autres espèces d'animaux : témoin ce nombreux cortège de mâles qui poursuivent une même femelle au printemps dans nos campagnes, et dont un seul obtient le titre de mari. Et la galanterie ?

B. Si vous entendez par galanterie cette variété de moyens énergiques ou délicats que la passion inspire, soit au mâle, soit à la femelle, pour obtenir cette préférence qui conduit à la plus douce, la plus importante et la plus générale des jouissances ; la galanterie est dans la nature.

A. Je le pense comme vous. Témoin toute cette diversité de gentillesses pratiquées par le mâle pour plaire à la femelle et par la femelle pour irriter la passion et fixer le goût du mâle. Et la coquetterie ?

B. C'est un mensonge qui consiste à simuler une passion qu'on ne sent pas, et à promettre une préférence qu'on n'accordera point. Le mâle coquet se joue de la femelle ; la femelle coquette se joue du mâle : jeu perfide qui amène quelquefois les catastrophes les plus funestes ; manège ridicule, dont le trompeur et le trompé sont également châtiés par la perte des instants les plus précieux de leur vie.

A. Ainsi la coquetterie, selon vous, n'est pas dans la nature ?

B. Je ne dis pas cela.

A. Et la constance ?

B. Je ne vous en dirai rien de mieux que ce qu'en a dit Orou à l'aumônier. Pauvre vanité de deux enfants qui s'ignorent eux-mêmes, et que l'ivresse d'un instant aveugle sur l'instabilité de tout ce qui les entoure!

A. Et la fidélité, ce rare phénomène ?

B. Presque toujours l'entêtement et le supplice de l'honnête homme et de l'honnête femme dans nos contrées; chimère à Tahiti.

A. La jalousie ?

B. Passion d'un animal indigent et avare qui craint de manquer; sentiment injuste de l'homme; conséquence de nos fausses mœurs, et d'un droit de propriété étendu sur un objet sentant, pensant, voulant, et libre.

A. Ainsi la jalousie, selon vous, n'est pas dans la nature ?

B. Je ne dis pas cela. Vices et vertus, tout est également dans la nature.

A. Le jaloux est sombre.

B. Comme le tyran, parce qu'il en a la conscience.

A. La pudeur ?

B. Mais vous m'engagez là dans un cours de morale galante. L'homme ne veut être ni troublé ni distrait dans ses jouissances. Celles de l'amour sont suivies d'une faiblesse qui l'abandonnerait à la merci de son ennemi. Voilà tout ce qu'il pourrait y avoir de naturel dans la pudeur : le reste est d'institution. — L'aumônier remarque, dans un troisième morceau que je ne vous ai point lu, que le Tahitien ne rougit pas des mouvements involontaires qui s'excitent en lui à côté de sa femme, au milieu de ses filles; et que celles-ci en sont spectatrices, quelquefois émues, jamais embarrassées. Aussitôt que la femme devient la propriété de l'homme, et que la jouissance furtive fut regardée comme un vol, on vit naître les termes *pudeur, retenue, bienséance;* des vertus et des vices imaginaires; en un mot, entre les deux sexes, des barrières qui empêchassent de s'inviter réciproquement à la violation des lois qu'on leur avait imposées, et qui produisirent souvent un effet contraire, en échauffant l'imagination et en irritant les désirs. Lorsque je vois des arbres plantés autour de nos palais, et un vêtement de cou qui cache et montre une partie de la gorge d'une femme, il me semble reconnaître un retour secret vers la forêt, et un appel à la liberté première de notre ancienne demeure. Le Tahitien nous dirait : Pourquoi te caches-tu ? de quoi es-tu honteux ? fais-tu le mal, quand tu cèdes à l'impulsion la plus auguste de la nature ? Homme, présente-toi franchement si tu plais. Femme, si cet homme te convient, reçois-le avec la même franchise.

A. Ne vous fâchez pas. Si nous débutons comme des hommes civilisés, il est rare que nous ne finissions pas comme le Tahitien.

B. Oui, mais ces préliminaires de convention consument la moitié de la vie d'un homme de génie.

A. J'en conviens; mais qu'importe, si cet élan pernicieux de l'esprit humain, contre lequel vous vous êtes récrié tout à l'heure, en est d'autant ralenti? Un philosophe de nos jours, interrogé pourquoi les hommes faisaient la cour aux femmes, et non les femmes la cour aux hommes, répondit qu'il était naturel de demander à celui qui pouvait toujours accorder.

B. Cette raison m'a paru de tout temps plus ingénieuse que solide. La nature, indécente si vous voulez, presse indistinctement un sexe vers l'autre : et dans un état de l'homme triste et sauvage qui se conçoit et qui peut-être n'existe nulle part...

A. Pas même à Tahiti?

B. Non... l'intervalle qui séparerait un homme d'une femme serait franchi par le plus amoureux. S'ils s'attendent, s'ils se fuient, s'ils se poursuivent, s'ils s'évitent, s'ils s'attaquent, s'ils se défendent, c'est que la passion, inégale dans ses progrès, ne s'applique pas en eux de la même force. D'où il arrive que la volupté se répand, se consomme et s'éteint d'un côté, lorsqu'elle commence à peine à s'élever de l'autre, et qu'ils en restent tristes tous deux. Voilà l'image fidèle de ce qui se passerait entre deux êtres libres, jeunes et parfaitement innocents. Mais lorsque la femme a connu, par l'expérience ou l'éducation, les suites plus ou moins cruelles d'un moment doux, son cœur frissonne à l'approche de l'homme. Le cœur de l'homme ne frissonne point; ses sens commandent, et il obéit. Les sens de la femme s'expliquent, et elle craint de les écouter. C'est l'affaire de l'homme que de la distraire de sa crainte, de l'enivrer et de la séduire. L'homme conserve toute son impulsion naturelle vers la femme; l'impulsion naturelle de la femme vers l'homme, dirait un géomètre, est en raison composée de la directe de la passion et de l'inverse de la crainte; raison qui se complique d'une multitude d'éléments divers dans nos sociétés; éléments qui concourent presque tous à accroître la pusillanimité d'un sexe et la durée de la poursuite de l'autre. C'est une espèce de tactique où les ressources de la défense et les moyens de l'attaque ont marché sur la même ligne. On a consacré la résistance de la femme; on a attaché l'ignominie à la violence de l'homme; violence qui ne serait qu'une injure légère dans Tahiti, et qui devient un crime dans nos cités.

A. Mais comment est-il arrivé qu'un acte dont le but est si solennel, et auquel la nature nous invite par l'attrait le plus puissant; que le plus grand, le plus doux, le plus innocent des plaisirs soit devenu la source la plus féconde de notre dépravation et de nos maux ?

B. Orou l'a fait entendre dix fois à l'aumônier : écoutez-le donc encore, et tâchez de le retenir.

C'est par la tyrannie de l'homme, qui a converti la possession de la femme en une propriété.

Par les mœurs et les usages, qui ont surchargé de conditions l'union conjugale.

Par les lois civiles, qui ont assujetti le mariage à une infinité de formalités.

Par la nature de notre société, où la diversité des fortunes et des rangs a institué des convenances et des disconvenances.

Par une contradiction bizarre et commune à toutes les sociétés subsistantes, où la naissance d'un enfant, toujours regardée comme un accroissement de richesse pour la nation, est plus souvent et plus sûrement encore un accroissement d'indigence dans la famille.

Par les vues politiques des souverains, qui ont tout rapporté à leur intérêt et à leur sécurité.

Par les institutions religieuses, qui ont attaché les noms de vices et de vertus à des actions qui n'étaient susceptibles d'aucune moralité.

Combien nous sommes loin de la nature et du bonheur ! L'empire de la nature ne peut être détruit : on aura beau le contrarier par des obstacles, il durera. Ecrivez tant qu'il vous plaira sur des tables d'airain, pour me servir de l'expression du sage Marc Aurèle, que le frottement voluptueux de deux intestins est un crime, le cœur de l'homme sera froissé entre la menace de votre inscription et la violence de ses penchants. Mais ce cœur indocile ne cessera de réclamer; et cent fois, dans le cours de la vie, vos caractères effrayants disparaîtront à nos yeux. Gravez sur le marbre : Tu ne mangeras ni de l'ixion, ni du griffon; tu ne connaîtras que ta femme; tu ne seras point le mari de ta sœur : mais vous n'oublierez pas d'accroître les châtiments à proportion de la bizarrerie de vos défenses;

vous deviendrez féroces, et vous ne réussirez point à me dénaturer.

A. Que le code des nations serait court, si on le conformait rigoureusement à celui de la nature! Combien de vices et d'erreurs épargnés à l'homme!

B. Voulez-vous savoir l'histoire abrégée de presque toute notre misère ? La voici. Il existait un homme naturel : on a introduit au dedans de cet homme un homme artificiel; et il s'est élevé dans la caverne une guerre continuelle qui dure toute la vie. Tantôt l'homme naturel est le plus fort; tantôt il est terrassé par l'homme moral et artificiel; et, dans l'un et l'autre cas, le triste monstre est tiraillé, tenaillé, tourmenté, étendu sur la roue; sans cesse gémissant, sans cesse malheureux, soit qu'un faux enthousiasme de gloire le transporte et l'enivre, ou qu'une fausse ignominie le courbe et l'abatte. Cependant il est des circonstances extrêmes qui ramènent l'homme à sa première simplicité.

A. La misère et la maladie, deux grands exorcistes.

B. Vous les avez nommés. En effet, que deviennent alors toutes ces vertus conventionnelles ? Dans la misère, l'homme est sans remords; dans la maladie, la femme est sans pudeur.

A. Je l'ai remarqué.

B. Mais un autre phénomène qui ne vous aura pas échappé davantage, c'est que le retour de l'homme artificiel et moral suit pas à pas les progrès de l'état de maladie à l'état de convalescence et de l'état de convalescence à l'état de santé. Le moment où l'infirmité cesse est celui où la guerre intestine recommence, et presque toujours avec désavantage pour l'intrus.

A. Il est vrai. J'ai moi-même éprouvé que l'homme naturel avait dans la convalescence une vigueur funeste pour l'homme artificiel et moral. Mais enfin, dites-moi, faut-il civiliser l'homme, ou l'abandonner à son instinct ?

B. Faut-il vous répondre net ?

A. Sans doute.

B. Si vous vous proposez d'en être le tyran, civilisez-le; empoisonnez-le de votre mieux d'une morale contraire à la nature; faites-lui des entraves de toute espèce; embarrassez ses mouvements de mille obstacles; attachez-lui des fantômes qui l'effraient; éternisez la guerre dans la caverne, et que l'homme naturel y soit toujours enchaîné sous les pieds de l'homme moral. Le voulez-vous heureux et libre ? ne vous mêlez pas de ses affaires : assez d'incidents imprévus le conduiront à la lumière et à la dépravation ; et demeurez à jamais convaincu que ce n'est pas pour vous, mais pour eux, que ces sages législateurs vous ont pétri et maniéré comme vous l'êtes. J'en appelle à toutes les institutions politiques, civiles et religieuses : examinez-les profondément ; et je me trompe fort, ou vous y verrez l'espèce humaine pliée de siècle en siècle au joug qu'une poignée de fripons se promettait de lui imposer. Méfiez-vous de celui qui veut mettre de l'ordre. Ordonner, c'est toujours se rendre le maître des autres en les gênant : et les Calabrais sont presque les seuls à qui la flatterie des législateurs n'en ait point encore imposé...

A. Et cette anarchie de la Calabre vous plaît ?

B. J'en appelle à l'expérience ; et je gage que leur barbarie est moins vicieuse que notre urbanité. Combien de petites scélératesses compensent ici l'atrocité de quelques grands crimes dont on fait tant de bruit ! Je considère les hommes non civilisés comme une multitude de ressorts épars et isolés. Sans doute, s'il arrivait à quelques-uns de ces ressorts de se choquer, l'un ou l'autre, ou tous les deux, se briseraient. Pour obvier à cet inconvénient, un individu d'une sagesse profonde et d'un génie sublime rassembla ces ressorts et en composa une machine, et dans cette machine appelée société, tous les ressorts furent rendus agissants, réagissant les uns contre les autres, sans cesse fatigués ; et il s'en rompit plus dans un jour, sous l'état de législation, qu'il ne s'en rompait en un an sous l'anarchie de nature. Mais quel fracas ! quel ravage ! quelle énorme destruction de petits ressorts, lorsque deux, trois, quatre de ces énormes machines vinrent à se heurter avec violence !

A. Ainsi vous préféreriez l'état de nature brute et sauvage ?

B. Ma foi, je n'oserais prononcer ; mais je sais qu'on a vu plusieurs fois l'homme des villes se dépouiller et rentrer dans la forêt, et qu'on n'a jamais vu l'homme de la forêt se vêtir et s'établir dans la ville.

A. Il m'est venu souvent dans la pensée que la somme des biens et des maux était variable pour chaque individu ; mais que le bonheur ou le malheur d'une espèce animale quelconque avait sa limite qu'elle ne pouvait franchir, et que peut-être nos efforts nous rendaient en dernier résultat autant d'inconvénient que d'avantage ; en sorte que nous nous étions bien tourmentés pour accroître les deux membres d'une équation, entre lesquels il subsistait une éternelle et nécessaire égalité. Cependant je ne doute pas que la vie moyenne de l'homme civilisé ne soit plus longue que la vie moyenne de l'homme sauvage.

B. Et si la durée d'une machine n'est pas une juste mesure de son plus ou moins de fatigue, qu'en concluez-vous ?

A. Je vois qu'à tout prendre, vous inclineriez à croire les hommes d'autant plus méchants et plus malheureux qu'ils sont plus civilisés ?

B. Je ne parcourrai pas toutes les contrées de l'univers ; mais je vous avertis seulement que vous ne trouverez la condition de l'homme heureuse que dans Tahiti, et supportable que dans un recoin de l'Europe. Là, des maîtres ombrageux et jaloux de leur sécurité se sont occupés à le tenir dans ce que vous appelez l'abrutissement.

A. A Venise, peut-être ?

B. Pourquoi non ? Vous ne nierez pas, du moins, qu'il n'y ait nulle part moins de lumières acquises, moins de moralité artificielle, et moins de vices et de vertus chimériques.

A. Je ne m'attendais pas à l'éloge de ce gouvernement.

B. Aussi ne le fais-je pas. Je vous indique une espèce de dédommagement de la servitude, que tous les voyageurs ont senti et préconisé.

A. Pauvre dédommagement !

B. Peut-être. Les Grecs proscrivirent celui qui avait ajouté une corde à la lyre de Mercure.

A. Et cette défense est une satire sanglante de leurs premiers législateurs. C'est la première [corde] qu'il fallait couper.

B. Vous m'avez compris. Partout où il y a une lyre, il y a des cordes. Tant que les appétits naturels seront sophistiqués, comptez sur des femmes méchantes.

A. Comme la Reymer.

B. Sur des hommes atroces.

A. Comme Gardeil.

B. Et sur des infortunés à propos de rien.

A. Comme Tanié, mademoiselle de La Chaux, le chevalier Desroches et madame de la Carlière. Il est certain qu'on chercherait inutilement dans Tahiti des exemples de la dépravation des deux premiers, et du malheur des trois derniers. Que ferons-nous donc ?

reviendrons-nous à la nature ? nous soumettrons-nous aux lois ?

B. Nous parlerons contre les lois insensées jusqu'à ce qu'on les réforme ; et, en attendant, nous nous y soumettrons. Celui qui, de son autorité privée, enfreint une loi mauvaise, autorise tout autre à enfreindre les bonnes. Il y a moins d'inconvénients à être fou avec des fous, qu'à être sage tout seul. Disons-nous à nous-mêmes, crions incessamment qu'on a attaché la honte, le châtiment et l'ignominie à des actions innocentes en elles-mêmes ; mais ne les commettons pas, parce que la honte, le châtiment et l'ignominie sont les plus grands de tous les maux. Imitons le bon aumônier, moine en France, sauvage dans Tahiti.

A. Prendre le froc du pays où l'on va, et garder celui du pays où l'on est.

B. Et surtout être honnête et sincère jusqu'au scrupule avec des êtres fragiles qui ne peuvent faire notre bonheur, sans renoncer aux avantages les plus précieux de nos sociétés. Et ce brouillard épais, qu'est-il devenu ?

A. Il est retombé.

B. Et nous serons encore libres, cet après-dîner, de sortir ou de rester ?

A. Cela dépendra, je crois, un peu plus des femmes que de nous.

B. Toujours les femmes ! On ne saurait faire un pas sans les rencontrer à travers son chemin.

A. Si nous leur lisions l'entretien de l'aumônier et d'Orou ?

B. A votre avis, qu'en diraient-elles ?

A. Je n'en sais rien.

B. Et qu'en penseraient-elles ?

A. Peut-être le contraire de ce qu'elles en diraient.

TABLE

SUPPLÉMENT
AU VOYAGE DE BOUGAINVILLE
ET AUTRES TEXTES

GF Flammarion

13/03/180556-III-2013 – Impr. MAURY Imprimeur, 45330 Malesherbes.
N° d'édition L.01EHPN000575.N001 – 2ᵉ trimestre 1972 – Printed in France.